# TRÉSORS DE LA FONDATION NAPOLÉON

dans l'intimité de la Cour impériale

Musée Jacquemart-André

Institut de France

Fondation Napoléon

# TRÉSORS DE LA FONDATION NAPOLÉON

## dans l'intimité de la Cour impériale

EXPOSITION

DU 28 SEPTEMBRE 2004 AU 3 AVRIL 2005

Avec le soutien de

CULTURE ESPACES

nouveau monde
éditions

A la mémoire du baron Olivier Guichard,
de M. Olivier Le Fuel et du comte Florian Walewski


24, rue des Grands-Augustins
75006 PARIS

# Sommaire

# Remerciements

M. Jean-Pierre Babelon, membre de l'Institut et président de la Fondation Jacquemart-André, le baron Gourgaud, président de la Fondation Napoléon et M. Bruno Monnier, président de Culture Espaces, délégataire du musée Jacquemart-André, expriment leur reconnaissance à tous ceux qui ont œuvré pour la réalisation de cette exposition et de ce catalogue, en premier lieu les institutions françaises qui ont fait l'honneur au musée Jacquemart-André de lui prêter leurs œuvres :

MUSEE NATIONAL DES CHATEAUX
DE VERSAILLES ET DE TRIANON, Versailles
M. Pierre Arizzoli-Clémentel, directeur général de l'établissement public du Musée et du Domaine national de Versailles et de Trianon
Mme Claire Constans, conservateur général du Patrimoine

FONDATION DOSNE-THIERS, Paris
Mme Sandrine Arnold-Folpini, administrateur de la Fondation Dosne-Thiers

MUSEE NATIONAL DES CHATEAUX DE MALMAISON
ET BOIS-PREAU, Rueil-Malmaison
M. Bernard Chevallier, directeur du Musée national des Châteaux de Malmaison et Bois-Préau, conservateur général du Patrimoine

LE CONSEIL D'ADMINISTRATION ET
LES COLLABORATEURS DE LA FONDATION NAPOLEON

**COMMISSARIAT**

M. Bernard Chevallier, vice-président de la Fondation Napoléon,
M. Nicolas Sainte Fare Garnot, conservateur du Musée Jacquemart-André, assistés de Mlle Karine Huguenaud, chargée des collections de la Fondation Napoléon

**SCENOGRAPHIE**

M. Michel Albertini

Lumières : Philippe Collet ; menuiserie et peinture : Fréderick Oubradous ; verrier : miroiterie de l'Olivier ; tentures et tissus historiques, Maison Prelle : Maryse Dusoulier ; passementerie : Dominique et Alaa El Sayed ; création des drapés : Philippe Conzade ; confection : Valérie Rouve ; son : Jean-Marc Istria ; photographes : Gerard Leyris, Patrice Maurin-Berthier ; impressions lumineuses : Scanachrome ; graphisme et signalétique : Jean-Luc Tamisier

**COORDINATION DE L'EXPOSITION**

Mme Aimée Penillard, Culture Espaces
M. Thierry Lentz, directeur de la Fondation Napoléon

La mise en place de l'exposition a bénéficié de l'appui de Mmes et M.M. D. Pastellas, S. Apollin, E. Budelot, H. Couot, E. da Silva, R. Jacobsen, G. Lemaire, F. Ménégaux, I. Vidal, A. Huan, C.-H. Diriart, et de toute l'équipe du musée.

Les commissaires et le scénographe tiennent à remercier tout particulièrement Mmes et MM. : Johanna Barreau, Vincent Bourgeot, Yves Carlier, Gérard Fabre, Anne Forray-Carlier, Jacques Garnier, Antoinette Hallé, Jean-Marc Leri, Alain Pougetoux, Alain Prevet, Amaury Lefébure, Patrice Maurin-Berthier, Charlotte de Percin, Tamara Préaud, Françoise Vittu, Virginie et Les films Lomanacha.

## Auteurs du catalogue

Le catalogue a été réalisé sous la direction scientifique de Bernard Chevallier et de Karine Huguenaud.

Ont collaboré à cet ouvrage :

Jean Tulard, de l'Institut

Christian Benoît, directeur-associé de Mostra Conseil
Christian Blondieau, expert en armes anciennes
Bernard Chevallier, directeur du musée national des Châteaux de Malmaison et Bois-Préau, conservateur général du Patrimoine
Michel Dancoisne-Martineau, conservateur des Domaines français de Sainte-Hélène
Jacques Jourquin, vice-président de l'Institut Napoléon, directeur de la *Revue du Souvenir napoléonien*
Karine Huguenaud, chargée des collections de la Fondation Napoléon
Jean-Claude Lachnitt, administrateur et secrétaire général des Grands Prix et Bourses de la Fondation Napoléon
Sylvain Laveissière, conservateur en chef du Département des peintures du musée du Louvre
Thierry Lentz, directeur de la Fondation Napoléon
Nicolas Sainte-Fare Garnot, conservateur du Musée Jacquemart-André
Claude Séguin, chargé de mission au musée national des Châteaux de Malmaison et Bois-Préau

Création et réalisation pour le compte des éditions Nouveau Monde :
CYCLOPE Communication
Conception graphique : Jean-Marc Lauby et Frédéric Audoin
Coordination éditoriale : Karine Huguenaud.

C'est avec un plaisir tout particulier qu'Edouard André aurait accueilli la présentation des trésors de la Fondation Napoléon dans les salons de son hôtel, lui qui n'avait jamais caché ses opinions bonapartistes et qui avait entretenu des liens étroits avec la haute société du Second Empire. Il était né, à vrai dire, dans un milieu marqué par le dévouement à la cause impériale et c'est à la carrière militaire que sa famille l'avait d'abord destiné. La voie était toute tracée, dans le souvenir du général Gudin, héros des guerres de l'Empire blessé à Wagram, mort en Russie, et dont le nom est gravé sur les piliers de l'Arc de Triomphe. Après un court veuvage, le père d'Édouard avait épousé la fille du général, et celle-ci assura l'éducation du jeune garçon qui lui voua une tendre affection. A l'Ecole Militaire de Saint-Cyr où on l'avait fait entrer, sa famille voulait en faire un "apprenti maréchal de France", selon le mot du frère de sa belle-mère, le second général Gudin.

Winterhalter, l'habile portraitiste des célébrités du Second Empire, a peint Édouard André dans son brillant uniforme de sous-lieutenant au régiment des Guides de la garde impériale, régiment d'élite qui assurait son service au palais des Tuileries, auprès de Napoléon III et de l'impératrice Eugénie. Son attachement à la cause bonapartiste se manifesta ensuite dans un début de carrière politique à la Chambre des députés, mais la défaite de 1870 allait modifier le cours de son existence et orienter la curiosité du grand banquier vers les arts.

Les œuvres d'art et les objets familiers évoquant la personne de l'Empereur et le cadre de son environnement quotidien que l'on pourra admirer dans la présente exposition s'harmonisent fort bien avec la volonté exprimée par les époux André de faire de leur hôtel parisien un musée d'art où les meubles, les tapisseries, les porcelaines, les bronzes assuraient à leurs collections de peintures et de sculptures un cadre somptueux digne des plus grandes demeures des siècles passés, celles qui assuraient la gloire des amateurs qui les avaient réunies. Ils assumaient déjà, à leur initiative, la réalisation du Musée des Arts décoratifs qui manquait encore à la France.

C'est boulevard Haussmann, à quelques mètres seulement du musée Jaquemart-André, que siège la Fondation Napoléon, dont on connaît l'importance pour tout ce qui concerne les recherches et les publications sur les deux Empires. C'est au baron Gourgaud, son président, et à monsieur Thierry Lentz, son directeur, que nous devons cette exposition, grâce au prêt des plus belles pièces de la collection léguée naguère par Martial Lapeyre. Elle s'insère tout naturellement dans le programme des manifestations destinées à célébrer l'anniversaire de la proclamation de l'Empire. Rappelons que l'année prochaine, l'Institut de France commémorera un autre anniversaire lié à sa propre histoire, la décision prise en 1805 par Napoléon, qui en était membre au titre de l'Académie des Sciences, d'installer l'illustre compagnie dans le Palais des Arts, ex-collège Mazarin, et d'ouvrir la "coupole" à ses plus fameuses assemblées.

L'héritage napoléonien conservé par l'Institut de France est important. Outre les collections du Musée Marmottan, citons celles de la fondation Dosne-Thiers, qui conserve les fonds réunis par l'un des plus grands connaisseurs du Premier Empire, Frédéric Masson. Plusieurs objets qui en proviennent sont présentés ici, où ils retrouvent aussi quelques œuvres prêtées par le musée national de Malmaison dont le conservateur, Bernard Chevallier, assure le commissariat de cette manifestation en amicale liaison avec Nicolas Sainte Fare Garnot. Je tiens à remercier mon confrère Jean Tulard, membre de l'Académie des Sciences Morales et Politiques, d'avoir bien voulu préfacer ce catalogue avec l'autorité qu'on lui connaît. Mes remerciements s'adressent également à monsieur Bruno Monnier et à ses collaboratrices de la société Culture Espaces qui ont assuré l'organisation et le montage de cette exposition.

**Jean-Pierre Babelon**

*Membre de l'Institut*
*Président de la Fondation Jaquemart-André*

Riche de plus d'un millier de numéros d'inventaire, la collection de la Fondation Napoléon témoigne de l'histoire et de l'art sous les deux Empires. Essentiellement composé des objets et œuvres légués en 1984 au monde napoléonien par Martial Lapeyre, collectionneur et mécène d'exception, enrichi depuis par d'importantes acquisitions, cet ensemble n'est véritablement entré en possession de notre institution qu'en 2002, à la suite de la disparition du principal usufruitier de notre bienfaiteur. Ceci explique qu'en dépit de sa réputation elle n'ait jamais été présentée au public.

C'est aussi pourquoi nous pensons que l'exposition de deux cents pièces de cette collection au Musée Jacquemart-André est un événement pour tous ceux qui, du spécialiste au simple curieux, se passionnent pour l'histoire napoléonienne et l'histoire de l'art en général.

On oublie parfois que l'art français et européen connut sous le Consulat et l'Empire un renouveau - presque un renouvellement - dont on redécouvre aujourd'hui l'importance. Cette exposition et ce catalogue veulent en témoigner et, pour ce faire, ont bénéficié des compétences de commissaires expérimentés, M. Bernard Chevallier, directeur du Musée national des Châteaux de Malmaison et Bois-Préau et M. Nicolas Sainte Fare Garnot, conservateur du Musée Jacquemart-André, assistés de Mlle Karine Huguenaud, responsable des collections de la Fondation Napoléon.

Nous avons en outre bénéficié de quelques prêts visant à renforcer les aspects pédagogiques de l'exposition. Que soient ici remerciés la Fondation Dosne-Thiers, les musées nationaux des châteaux de Malmaison et de Versailles, ainsi que les descendants du conseiller d'Etat Bérenger, qui détiennent avec la robe et la traîne portées par leur ancêtre à la cérémonie du Sacre une pièce exceptionnelle, elle non plus jamais présentée au public.

Quant au catalogue, dirigé par les commissaires, il me suffira de donner les noms de ses auteurs pour attester de ses qualités scientifiques et historiques : le professeur Jean Tulard, de l'Institut, MM. Jean-Claude Lachnitt, Jacques Jourquin, Michel Dancoisne-Martineau, Sylvain Laveissière, Thierry Lentz, Christian Blondieau, Christian Benoît, Claude Séguin.

Je souhaite également manifester ma reconnaissance à M. Jean-Pierre Babelon, membre de l'Institut et président de la Fondation Jacquemart-André, qui a accepté de programmer cette exposition et de préfacer avec moi ce catalogue.

Je pense enfin aux visiteurs de cette exposition et espère qu'à travers ce livre-catalogue, ils garderont le meilleur souvenir possible de leur promenade au sein des "Trésors de la Fondation Napoléon".

**Baron Gourgaud**

*Président de la Fondation Napoléon*

# Dans l'intimité de l'Empereur

N*apoléon chez lui*, tel était le titre - un peu inattendu - d'un livre de Frédéric Masson publié en 1894. On ne conçoit en effet Napoléon que chevauchant un destrier qui se cabre, regardant à la lunette un champ de bataille ou présidant une séance du conseil d'Etat. Mais Napoléon en pantoufles ! Et pourtant il en eut, rouges ou vertes, et même des chaussons en mérinos ! Car il connut des moments sédentaires et, en campagne, des instants de repos. Ce sont les mémoires qui nous les révèlent. Mais ils sont en général peu sûrs, soit animés de malveillance (Mme de Rémusat, la générale Durand ou le valet de chambre Constant), soit inspirés par l'hagiographie.

Les factures conservées aux Archives nationales nous aident également à reconstituer le décor des Tuileries et nous livrent un peu de l'intimité de l'Empereur.

Mais il faut laisser libre cours à son imagination. L'objet, lui, ne trompe pas. Frédéric Masson l'avait compris, qui, le premier, collectionna les objets familiers de Napoléon et de son entourage, tous conservés aujourd'hui à la Bibliothèque Thiers.

Un autre grand collectionneur, Martial Lapeyre, a légué à la Fondation Napoléon un ensemble impressionnant de toiles, de livres, de bijoux de l'époque du Consulat et de l'Empire, que nous pouvons admirer dans cette exposition.

Parmi eux ces même objets domestiques dont Masson était si friand. La plupart nous aident à découvrir derrière l'Empereur l'homme.

Napoléon dort peu - moins de six heures - et selon sa volonté. La couche importe peu pour lui : un lit d'apparat, une chaise près d'un bivouac, un lit de campagne ...

Au réveil, enveloppé souvent d'une robe de chambre, il prend du thé sucré dans une tasse de vermeil. Son goût pour les bains chauds dans une baignoire mobile en campagne, est célèbre. Il se rasait lui-même ou l'était par son valet de chambre. On connaît son nécessaire (plusieurs furent fournis par Biennais) : bassin à barbe, porte-savon, rasoir à manche de nacre. Il s'inondait le corps et le visage d'une eau de cologne dont on a retrouvé la formule. Il disposait ses cheveux au moyen d'une brosse. Le sait-on ? Il porta des lunettes et à partir des verres conservés, le docteur Amalric a pu déceler son degré exact de myopie.

Napoléon portait généralement un gilet de flanelle, une chemise, un caleçon de toile fine (tout collectionneur se doit d'en posséder une paire !), un pantalon à pied dans l'intimité, auquel se substitue une culotte de casimir blanc. Le reste de la tenue varie selon les circonstances. Une fois habillé, Napoléon enfilait des bottes à l'écuyère ou des souliers à boucles d'or.

De ces instants intimes retenons, pièce essentielle de l'exposition, le nécessaire dentaire de l'Empereur, acquis par la Fondation Napoléon. On y découvre tous les instruments nécessaires à une parfaite hygiène de la bouche, avec nombre d'instruments de détartrage. Napoléon sera célèbre pour la blancheur de ses dents et ce sourire qui fascine Stendhal. Les rages ne viendront qu'à Sainte-Hélène.

Même en campagne, l'Empereur attache de l'importance au service de table comme on peut le constater avec celui que nous révèle l'exposition. La porcelaine est reine, celle de Sèvres, de Dihl et Guérhard dominant. Assiettes à décor peint, couverts en vermeil, salières à cygnes, verres élancés, tout est prévu généralement pour un repas à plusieurs services : le premier constitué de hors d'œuvre et de potages, le deuxième d'entrées comme le vol au vent, le troisième de rôts, le quatrième d'entremets et le dernier de fruits. Chaque service est disposé sur la table, offrant un coup d'œil magnifique. Sauf dans les dîners d'apparat, Napoléon bousculait ce protocole, mangeant souvent seul, en une dizaine de minutes, une cuisse de poulet et des pâtes, le tout arrosé de chambertin. Il buvait ensuite du café.

Au travail, Napoléon dicte plus qu'il n'écrit, de là la rareté des plumes et des encriers gardant le souvenir de cette activité. Du papier de Sainte-Hélène a été conservé, mais il ne reste rien de la poudre appelée “sable” qui servait à faire sécher l'encre.

Méfions-nous des autographes. Contrairement à ce que pense Frédéric Masson, tout n'était pas signé, faute de temps, par Napoléon lui-même, même s'il entendait tout regarder. Sa signature était facile à imiter, surtout la simple lettre N, mais les apostilles dans l'ensemble sont bien de sa plume.

Les divertissements de Napoléon se limitaient aux échecs et au billard. Il y jouait mal, mais les bons courtisans le laissaient gagner. Il prisait, selon l'usage du temps, de là les nombreuses tabatières en or ou en écaille qui nous ont été conservées et dont Frédéric Masson donne la liste en annexe de son *Napoléon chez lui.*

“Objets inanimés avez-vous donc une âme ?”, interrogeait Lamartine. À la vue des souvenirs laissés par Napoléon et que nous révèle l'exposition de la Fondation Napoléon, peut-être ressent-on davantage la présence du grand homme dans ces objets de la vie quotidienne que dans les grands tableaux de David ou les proclamations enflammées à la Grande Armée.

**Jean Tulard,**
*de l'Institut*

# Martial Lapeyre et sa prestigieuse collection

C'est au lendemain de la première guerre mondiale, durant son adolescence, parallèlement aux études qui allaient le conduire à devenir l'inventeur et le génial diffuseur de la menuiserie industrielle que, dans le magasin d'un oncle maternel, Louis Lemesle, antiquaire rue Bonaparte, Martial Lapeyre, né à Paris en 1904, devait exercer un œil déjà très sûr et s'initier à la connaissance des meubles et des objets d'arts dont il apprendrait rapidement à apprécier la qualité.

Au début de sa carrière professionnelle, il n'eut ni le temps, ni les moyens d'entreprendre une collection, et il se limita à créer le cadre élégant dans lequel il aurait plaisir à vivre.

Deux styles, entre lesquels il ne devait jamais choisir, mais qu'il ne pouvait pas non plus mélanger, avaient sa préférence, et il occupa ses loisirs à rechercher les meubles, de plus en plus raffinés, qui allaient constituer, avec un goût toujours parfait, le décor de ses domiciles successifs et, plus tard, de ses résidences secondaires de Dampierre et de Cannes.

Pour les pièces intimes, chambres à coucher ou cabinet de travail, du Louis XVI en bois fruitier, ciré, vernis ou laqué, plutôt qu'en acajou et, pour accueillir ses amis, dans les pièces de réception, du Charles X, en bois précieux, le plus souvent marqueté, mariant le citronnier, l'érable, l'amarante, la loupe de frêne et le palissandre.

Parallèlement, il complétait le mobilier proprement dit par des tableaux, aussi bien une huile attribuée alors à Breughel de Velours, en fait de Hendrick de Clerck, qu'une gouache de Redouté, des porcelaines rares, de provenance parfois illustre, comme ces deux trembleuses de Marie-Antoinette, qu'il affectionnait particulièrement et faisait admirer, non sans une visible satisfaction, des opalines, des bronzes et des tapis ; presque rien qui, à ce moment là, rappelât l'Empire, malgré la fascination qu'exerçait sur lui, depuis sa prime jeunesse, le personnage de Napoléon Ier, qu'il avait découvert, notamment, dans les neuf volumes de Mémoires du maréchal Marmont, duc de Raguse, et dans les ouvrages de Frédéric Masson consacrés à l'Empereur et à sa famille.

Ce n'est que vers la moitié de sa vie que Martial Lapeyre devait entreprendre de collectionner des objets. Il fixa son intérêt, d'abord, sur des montres anciennes, des XVIIIème et XIXème siècles, de préférence en or, et de grande qualité, signées des meilleurs horlogers, Blonay, Mallet, Martin avant 1800, Blondeau, Breguet, Detouche, Dutin, Leroy, Lhardy ou Mugnier après, dont il allait constituer un très bel ensemble ; et les boîtes précieuses, en or, en ivoire ou en écaille, de Jean-Louis Blerzy, de Buisson, de Jean-Baptiste Lizon, de Marguerite, de Sevin, d'Antoine Théry ou d'Adrien

Vachette, ornées de miniatures ou enrichies de diamants ou d'émaux.

Cela devait l'amener à acquérir, notamment, des tabatières fabriquées à l'intention de Napoléon 1er, qui les distribuait volontiers comme présents, ornées de son portrait, souvent par Isabey, par Saint ou par Augustin, ou de son chiffre couronné.

L'orfèvrerie et la joaillerie avaient atteint, sous l'Empire, leur âge d'or, avec des artistes comme Martin-Guillaume Biennais, Etienne Nitot ou Jean-Baptiste Claude Odiot, et la qualité des œuvres qui étaient sorties de leurs ateliers avait tout pour plaire à Martial Lapeyre et même pour le passionner.

De proche en proche, il allait s'intéresser, toujours avec le souci de l'exceptionnel, aux souvenirs historiques, prestigieux par leur provenance, aux tableaux, aux bijoux, à la vaisselle plate, aux couverts en vermeil ou en argent, aux nécessaires de voyage ou de campagne, aux porcelaines, aux décorations, aux médailles, aux armes, même aux livres et à quelques meubles, mais à l'exclusion toutefois des autographes et des vêtements qui ne retiendraient pratiquement jamais son attention.

Ainsi, durant une quarantaine d'années, jusqu'à la veille de sa mort, en 1984, au hasard des ventes publiques dont il était devenu un habitué, et parfois en achetant de gré à gré à des héritiers de familles illustres, par l'intermédiaire d'antiquaires spécialisés, Martial Lapeyre allait constituer une collection de tout premier ordre où dominent les souvenirs des deux empires, comprenant de très nombreux objets ayant appartenu à des membres de la famille impériale, reliques aussi précieuses que touchantes, de madame Mère, Laetizia Ramolino-Bonaparte, à son arrière petit-fils Louis Napoléon, Prince Impérial.

**Jean-Claude Lachnitt**

Martial Lapeyre
(1904-1984)

*Buste en bronze par Robert d'Andlau-Hombourg Collection de la Fondation Napoléon.*

# Treize années d'acquisitions, 1990-2003

Créée en 1987 et reconnue d'utilité publique, la Fondation Napoléon a initié en 1990 une politique d'acquisition prestigieuse, fidèle à l'esprit du grand collectionneur que fut Martial Lapeyre. Cet enrichissement du fonds qui lui a été légué s'est opéré de façon régulière en privilégiant des objets exceptionnels, chefs-d'œuvre du patrimoine national. Une sélection de ces treize années d'acquisitions est aujourd'hui présentée pour la première fois en France dans l'exposition *Trésors de la Fondation Napoléon* et dans ce catalogue.

Chacun pourra juger ici de la qualité de ces enrichissements dont nombre s'inscrivent dans la lignée des choix de Martial Lapeyre. La porcelaine, et notamment celle de la manufacture de Sèvres, formait l'un des points forts de sa collection. C'est ainsi qu'en 1991, la Fondation Napoléon fit l'acquisition de deux pièces remarquables, une assiette du service particulier de l'Empereur - la vue de Mayence - qui vint rejoindre les dix-huit autres rassemblées au fil des années par le collectionneur, et le cabaret des chasses impériales, présent offert par Napoléon pour les étrennes de 1813 à la comtesse de Croix, dame du Palais de Marie-Louise. Sèvres toujours avec deux importants vases acquis en vente publique en 2002, le vase fuseau orné du portrait de Napoléon en costume de sacre d'après Gérard et le vase étrusque du baptême du roi de Rome. Sèvres encore avec une partie du cabaret égyptien livré à l'impératrice Joséphine en 1811, dont une tasse et une soucoupe figuraient déjà dans la collection depuis 1979. En 2003, les hasards du marché de l'art ont fait réapparaître huit autres tasses et soucoupes ainsi que la théière de ce prestigieux service, éléments que Martial Lapeyre n'aurait pas manqué d'acheter s'ils lui avaient été proposés.
Très peu de mobilier figure parmi ces enrichissements, mais des pièces rarissimes, dont le serre-papiers de l'impératrice Joséphine livré par Biennais pour son boudoir du château de Malmaison ou une paire de chaises du cabinet de l'Empereur au palais des Tuileries.

S'éloignant de la sphère des arts décoratifs, domaine privilégié de la collection Lapeyre, la Fondation Napoléon a, pour répondre à sa mission de défense et de sauvegarde du patrimoine napoléonien, fait l'acquisition d'œuvres fondamentales de l'histoire de l'art au premier rang desquelles, en 1994, un dessin de Jacques-Louis David. Cette étude pour le tableau du sacre montre le premier sujet choisi par le peintre, celui du couronnement de l'Empereur et non de l'Impératrice. Et l'achat en 1997 de la série des aquarelles originales de Pierre-François-Léonard Fontaine décrivant les principales étapes de la cérémonie s'est légitimement imposé pour composer cet admirable ensemble jamais exposé jusqu'à aujourd'hui.

En 2002, la mise en vente des collections historiques du musée Grévin fut l'occasion d'acquérir un monumental tableau d'histoire - genre qui constitue l'une des faiblesses de la collection -, une singulière composition représentant Bonaparte et Berthier à la bataille de Marengo, fruit de la collaboration entre trois peintres, Joseph Boze, Robert Lefèvre et Carle Vernet.

Dérogeant parfois aux goûts de Martial Lapeyre, la Fondation Napoléon a procédé à quelques enrichissements dans des domaines qu'il avait volontairement ignorés, les autographes et les vêtements. Les rares feuillets manuscrits des leçons d'anglais que Napoléon prit à Sainte-Hélène ou les vêtements qu'il portait durant sa captivité dans l'île en font partie. Mais Martial Lapeyre n'avait-il pas lui-même montré son intérêt pour l'Empereur en exil, voire pour le culte napoléonien, en se portant acquéreur de certains souvenirs réunis sous forme de précieux reliquaires ? Cette approche plus intime du personnage, évoquée dans la dernière partie de l'exposition, trouve sa pleine expression avec les coffrets nécessaires qui furent la spécialité de Biennais. L'exceptionnel nécessaire dentaire ou le nécessaire dit de portemanteau offert par Napoléon à Las Cases, respectivement acquis en 1994 et 2001, répondent aux deux luxueux nécessaires de Joseph Fouché et du maréchal Soult, issus des collections Lapeyre, et présentés dans la première partie de l'exposition.

A travers ce rapide survol des acquisitions majeures de la Fondation Napoléon, il est aisé de comprendre que, loin de dénaturer la collection initiale, ces enrichissements l'ont renforcée dans ces aspects dominants, tout en l'ouvrant à de nouvelles perspectives, que le public aura plaisir, nous l'espérons, à découvrir et à apprécier.

**Karine Huguenaud,**
*chargée des collections*

La Société Impériale

# La société impériale

Les Trésors de la Fondation Napoléon nous font d'abord découvrir l'intimité de la société impériale, quotidien d'une élite qui bénéficia des productions des meilleurs artistes et artisans français de l'époque. Symboliquement, ce voyage commence par le somptueux coffret nécessaire dit, justement, "de voyage", que Joseph Fouché, ministre de la Police générale, commanda à l'orfèvre des orfèvres, Martin-Guillaume Biennais, pour l'offrir en 1815 en cadeau de mariage à sa seconde épouse.

Non moins remarquables, les petits objets du quotidien, luxueuses boîtes ou tabatières, montres, éléments de vaisselle et pièces décoratives provenant des manufactures de Sèvres, Dihl et Guérhard ou Nast, traduisent l'opulence de cette société impériale que l'Empereur lui-même voulut ainsi. Deux pièces de mobilier exécutées par l'ébéniste Levasseur vers 1806 pour le prince de la Paix, Manuel Godoy, ministre et favori du roi Charles IV d'Espagne, constituent deux œuvres inhabituelles dans le mobilier français de cette époque.

Et lorsque le peuple fait irruption dans les intérieurs bourgeois, c'est seulement dans les ravissants tableaux de genre de Demarne ou de Swebach-Desfontaines, qui célèbrent les charmes de la vie champêtre ou l'atmosphère pittoresque des fêtes et des foires populaires.

**T.L.**

# Nécessaire de la duchesse d'Otrante

[n° 1]

Ce nécessaire fut offert par Joseph Fouché, duc d'Otrante (1759-1820), à sa future épouse, Ernestine de Castellane (1788-1850), quelques jours avant ses noces le 1er août 1815. C'est au fournisseur officiel de la cour impériale, Martin-Guillaume Biennais, que Fouché commanda ce luxueux cadeau de mariage. Tabletier, ébéniste, et orfèvre, Biennais avait installé son enseigne "Au Singe Violet" rue Saint-Honoré. Une de ses spécialités résidait dans la production de nécessaires, coffrets transportables d'où leur appellation commune de "nécessaires de voyage", de taille variable, qui contenaient un maximum d'éléments dans un minimum d'espace. Napoléon possédait plusieurs de ces grands nécessaires en vermeil ou en argent (musée Carnavalet, musée du Louvre) ou dits de portemanteau pour les plus petits (cat. n° 148).

D'un raffinement extrême, le nécessaire commandé par Fouché rassemble soixante-quinze pièces dans un coffret en acajou creusé, orné sur le couvercle d'une frise de palmettes et de lyres, d'un écu gravé du monogramme CF sous couronne ducale entouré de lauriers et, sur la tranche, de motifs de rinceaux et de griffons. L'intérieur du coffret est organisé de façon symétrique autour du bassin central contenant un calotin à trois plateaux sur lesquels chaque ustensile nécessaire aux repas, à la toilette et aux travaux de couture, vient s'emboîter très exactement dans l'emplacement qui lui est destiné. Autour sont répartis une multitude de petits objets, boîtes, étuis, flacons, et les différents éléments d'un tête-à-tête comportant tasses et soucoupes, théière et passoire, cafetière, chocolatière, réchaud, boîte à thé, aiguière, le tout en vermeil ciselé et gravé d'un décor à l'antique d'une frise de personnages mythologiques (Trois Grâces, Amours, paons, etc.). Leur agencement dans le coffret témoigne de la virtuosité de Biennais, le mauvais positionnement d'une pièce empêchant la fermeture du couvercle. Sur le côté droit, un tiroir abrite une écritoire portative avec ses deux encriers, un porte-plume, un compas, ainsi qu'une boîte à mécanisme secret. A l'intérieur du couvercle, le volet de bois dans lequel s'encastre le miroir octogonal se débloque par un petit bouton et révèle un ensemble de portefeuilles en maroquin rouge et vert doré au fer.

**K.H.**

**Historique :** *livré à Joseph Fouché en 1815 ; sa fille Joséphine d'Otrante, comtesse de la Barthe de Thermes (1803-1893) ; resté dans sa descendance jusqu'en 1980 ; vente succession Paul Jeanselme, Paris, Hôtel Drouot, 28 et 29 janvier 1980, n°350 (acquis par Martial Lapeyre).*

**Expositions :** *1993, Tokyo, n° 239 ; Sao Paulo, 2003, n°164.*

**Bibliographie :** *Huguenaud, 2001, pp. 76-78 ; Dion-Tenenbaum, 2003, p.32.*

Martin-Guillaume Biennais (1764-1843)

Nécessaire de la duchesse d'Otrante

*1815*

*Acajou, argent doré, ébène, or, ivoire, cristal, maroquin, bronze et cuivre doré*

*Signature sur la serrure :* "Biennais Orfre rue St Honoré n°283 Au Singe Violet à Paris"

*Coffret : H. 25 ; L. 40 ; P. 30 cm*

*Paris, Fondation Napoléon, inv. 566 (donation Lapeyre)*

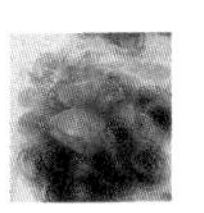

[n° 2]

Rudolphe Bell (actif de 1821 à 1849)

Portrait de la duchesse d'Otrante

*Aquarelle et gouache sur papier Signé à gauche* "Bel" *et daté 1821*

*H. 12 ; L. 9 cm*

*Paris, Fondation Napoléon, inv. 646 (donation Lapeyre)*

**Historique :** *collection Paul Jeanselme ; vente, Paris, Hôtel Drouot, 28 et 29 janvier 1980 (acquis par Martial Lapeyre).*

# Paire de vases



Il s'agit à coup sûr de la manufacture parisienne la plus prestigieuse qui produisit de l'Ancien Régime à la Restauration, fondée en 1781 par l'association de Christophe Dihl (1758-1830), originaire du Palatinat, sculpteur et technicien réputé et Antoine Guérhard, bourgeois de Paris, dont l'épouse née Louise-Françoise-Madeleine Croizé (1751-1831) se révèle une remarquable administratrice. Dès l'année suivante, elle obtient la protection du jeune duc d'Angoulême dont la manufacture porta le nom jusqu'à la Révolution. Quelques années après la mort de son époux survenue en 1793, Mme Guérhard épouse son associé, Christophe Dihl, en 1797. Sous l'Empire, sa manufacture est considérée comme une des premières en Europe, car elle sait s'attacher des artistes de renom comme Le Guay, Demarne, Drolling, Salembier, Sauvage ou Swebach. Après une longue décadence commencée à la fin de l'Empire, et malgré le soutien important que lui apporte l'impératrice Joséphine, la société décline et est définitivement dissoute en 1828.

Tout comme à Sèvres, les peintres trouvent leurs modèles de compositions florales dans les œuvres d'artistes contemporains, la plupart d'origines flamandes, comme Jan van Os, Jan-Frans Van Dael ou Cornelis Van Spaendonck, artiste en chef de la manufacture de Sèvres dont s'inspirent de nombreux peintres sur porcelaine. En 1797, Dihl expose au *Museum* un "Tableau de fleurs d'après Vandame [sic pour Van Dael]". Ces vases, dérivés de la forme du vase Médicis, sont tout à fait exceptionnels par leurs anses en bronze doré, ce qui est très rare chez Dihl. La qualité de la peinture permettrait d'avancer le nom de Piat Sauvage (1744-1818), qui bien que connu pour ses bas-reliefs en grisaille formant trompe-l'œil, est d'abord un peintre de fleurs, élève de Van Spaendonck. Leur qualité confirme ce qu'écrivait le *Nouveau Pariseum*... en 1810 à propos de la manufacture de Dihl et Guérhard : *"Pour la qualité de la matière et la beauté des vases, elle rivalise avec celle de Sèvres."*

**B.C.**

**Historique :** *acquis par Martial Lapeyre à Paris 1978.*
**Bibliographie :** *Plinval de Guillebon, 1972, 1985, 1995.*
**Exposition :** *2003, Sao Paulo, n° 138.*

Manufacture de Dihl et Guérhard

Paire de vases

*Vers 1805*

*Porcelaine dure, bronze doré*

*H. 28 ; D. 18,5 cm*

*Paris, Fondation Napoléon, inv. 786 (donation Lapeyre)*

Pierre-Etienne Levasseur et Levasseur Jeune (Peut-être Pierre-François-Henri Levasseur 1764-1841)

Commode et secrétaire

*Vers 1806 (?)*

*Acajou et buis avec incrustations d'écaille, de nacre, de lapis-lazuli, d'étain et de corail ; bronze doré, marbre bleu turquin*

*Commode :*
*H. 100 ; L. 132 ; l. 56 cm*

*Secrétaire :*
*H. 135 ; L. 82 ; l. 40 cm*

*Paris, Fondation Napoléon, inv. 873 (donation Lapeyre)*

# Commode et secrétaire

[n° 4]

Ces deux meubles tout à fait exceptionnels ont pu être identifiés grâce à la proposition de vente faite au Garde-Meuble de la Couronne à deux reprises par l'ébéniste Levasseur d'abord en 1823, puis en 1826, dans lesquelles il précise qu'ils avaient été "fabriqués il y a environ quinze ans pour le prince de la Paix". On désigne sous ce nom le célèbre Manuel Godoy (1767-1851), favori du roi d'Espagne Charles IV et amant de la reine, née Marie-Louise de Bourbon-Parme. Godoy gravit tous les échelons à une vitesse étonnante : d'abord titré prince de la Paix en 1795 pour avoir conclu une paix honorable avec la Convention, il épouse en 1797 une petite-fille du roi Philippe V et termine sa carrière en 1807 comme amiral général d'Espagne et des Indes avec le traitement d'Altesse. C'est vraisemblablement avant les événements de Bayonne, qui vit passer la couronne espagnole sur la tête de Joseph Bonaparte, que Godoy commanda ces deux meubles somptueux, car dès septembre 1808 il était redevenu un simple particulier et il suivit ses souverains dans leur exil, d'abord au château Saint-Joseph près de Marseille, puis à Rome.

Très proches de par leur structure de certaines oeuvres de Jacob-Desmalter, comme le secrétaire dit de Bordeaux (musée du Louvre), ces meubles paraissent dater des années 1806-1807. Leurs riches incrustations, inhabituelles dans le mobilier français de cette époque, rappellent certains décors réalisés par Percier et Fontaine pour le marché espagnol, comme les murs du cabinet de platine de la casa del Labrador au palais d'Aranjuez. Il est vraisemblable que l'exil de Godoy empêcha leur livraison et que la commode et le secrétaire aient été conservés dans les ateliers de Levasseur. On sait qu'il tenta vainement de les vendre pour 6 000 francs, d'abord en février 1823, puis en mai 1826. Bien que trouvés alors "fort beaux et bien confectionnés", le Garde Meuble trouva leur prix trop élevé et abandonna l'idée de les acquérir. A la fermeture de l'atelier de Levasseur en 1841, ils passent en vente et leur véritable origine semble déjà perdue ; on en attribue alors la commande à la reine Isabelle d'Espagne, alors que la souveraine était née en 1830 et n'avait donc que onze ans au moment de la vente ! A moins qu'il ne s'agisse alors de la seconde épouse de son père Ferdinand VII, la reine Marie-Isabelle, née infante du Portugal (1797-1818). L'acquisition de ces meubles en 1978 par Martial Lapeyre a permis de faire entrer dans les collections de la Fondation Napoléon d'extraordinaires exemples d'ébénisterie française du Premier Empire, dignes des plus beaux musées.

**B.C.**

**Historique :** *ventes : Paris, hôtel des ventes mobilières, vente anonyme, 15-16 novembre 1841, n° 1 (liquidation de l'atelier Levasseur) ; Paris, galerie Georges Petit, collection de Mme la baronne S. de Gunzburg, 17 mai 1912, n° 111 et 112 (la Gazette de l'Hôtel des ventes indique que la vente n'a pas eu lieu) ; en 1951, lors de l'exposition du musée des Arts Décoratifs, ils appartiennent à MM. Grognot et Joinel, antiquaires à Paris ; Paris, Palais d'Orsay, 30 novembre 1978, n° 122 et 123 (acquis par Martial Lapeyre).*

**Exposition :** *1951, Paris, n°151.*

**Bibliographie :** *Janneau, 1952, pl. 257 et 356 ; Faniel, 1960, p. 40 et 44 ; Ledoux-Lebard, 2000, p. 428 et 433.*

Attribué à la manufacture des frères Darte

Quatre assiettes et une coupe, scènes de la vie champêtre

*Epoque Empire ou Restauration*
*Porcelaine dure*

*Assiettes : D. 22 cm*

*Coupe : H. 12 ; D. 24,8 cm*

*Paris, Fondation Napoléon, inv. 423 (une assiette), 799 (trois assiettes) et 790 (une coupe) (donation Lapeyre)*

# Assiettes et coupe

|n° 5|

Malheureusement non marquées, ces pièces pourraient être attribuées à la manufacture des frères Darte dont les cartels peints sont souvent disposés comme sur cette coupe ; en outre, la manufacture s'était fait une spécialité des ors brunis à l'effet, comme sur ces cinq pièces. L'or sortant mat après cuisson, il est donc nécessaire de le polir afin de le rendre brillant ; pour ce faire, on utilise des instruments appelés brunissoirs. Si on polit l'or seulement en partie, on obtient un brunissage à l'effet où certaines parties sont brillantes tandis que d'autres restent satinées ; si on le veut sans effet, on le brunit à plat, c'est-à-dire complètement afin de ne faire ressortir que la brillance de l'or.

Il y eut deux manufactures Darte : la première, fondée sous forme de société rue de Charonne en 1795 par les trois frères Darte, Joseph dit Darte Aîné, Louis-Joseph (1765-1843) et Jean-François (1768-1834), fut dissoute en 1804. Au même moment, Louis-Joseph et Jean-François fondent une nouvelle manufacture rue de la Roquette qui reçoit le titre de "Manufacture de porcelaine de S.A.I. Madame Mère de S.M. l'Empereur et Roi". Elle sera dissoute en 1828 après que Louis-Joseph se soit associé en 1824 à son fils, Auguste-Rémi Darte.

**B.C.**

**Historique :** *vente, Paris, 21 mars 1979, n° 74 (assiettes) (acquis par Martial Lapeyre).*

**Bibliographie :** *Plinval de Guillebon, 1972 ; Plinval de Guillebon, 1985 ; Plinval de Guillebon, 1995.*

# Ecuelle dans son écrin

[n° 6]

Arrivé à Paris sous le règne de Louis XVI, Jean-Népomucène-Hermann Nast (1754-1817), fonde en 1783 à Paris, rue des Amandiers, une manufacture de porcelaine que ses deux fils continueront à faire fructifier jusqu'en 1835. En 1810, il dépose un brevet d'invention permettant de reproduire un décor gravé à l'aide de petites roues appelées molettes ; en métal, elles portent sur leur circonférence l'ornement qu'on veut placer sur la surface de la pièce ; on peut l'appliquer aussi bien sur des pâtes molles que sur des pièces cuites. Ce procédé permet, comme sur cette coupe, d'imiter le bronze ; il permet aussi d'abaisser le prix de vente, ce qui fut un souci permanent chez Nast, et d'accentuer ainsi la somptuosité des pièces en imitant à peu de frais l'orfèvrerie. Comme souvent dans la porcelaine de Paris, le fond blanc prend une grande importance, à l'encontre de la manufacture de Sèvres qui privilégie les fonds peints de vives couleurs. La manufacture de Nast était considérée comme l'une des plus importantes de Paris. Un contemporain note en 1807 qu' *"on trouve dans ses immenses magasins toute sorte de vaisselle, biscuits, pendules, vases, assiettes, soupières, etc. à des prix modérés et dans les plus hauts prix. La beauté de la porcelaine est la même : la différence est dans la dorure, la peinture et la sculpture."*
Ce type d'écuelle, toujours à deux anses, sert pour prendre du bouillon ou manger du potage.

**B.C.**

**Historique :** *vente, Paris, 11 juin 1975, n° 15 (acquis par Martial Lapeyre).*

**Bibliographie :** *Plinval de Guillebon, 1972 ; Plinval de Guillebon, 1985 ; Plinval de Guillebon, 1995.*

Manufacture de Nast

Ecuelle dans son écrin

*Vers 1810-1815*

*Porcelaine dure, signée* "Nast à Paris par brevet d'inven[on]" ; *écrin en maroquin vert doublé de velours cramoisi*

*Ecuelle : H. 12 ; D. 12,5 cm*

*Ecrin : H. 17,5 ; L. 29 ; P. 19,5 cm*

*Paris, Fondation Napoléon, inv. 123 (donation Lapeyre)*

# Portrait de Madame Fouler

[n° 7]

Boilly a excellé dans l'art du portrait. Le modèle de celui-ci est Madame Fouler née Victorine d'Avranges, veuve du sous-inspecteur Simond. Elle épousa en novembre 1809 Albert-Louis-Emmanuel Fouler, général de brigade puis de division, écuyer de l'impératrice Joséphine de 1804 à 1809, puis de l'Empereur à partir de 1810, fait comte de l'Empire en 1808 sous le nom de Relingue.
Caractéristique de l'abondante production de l'artiste, ce portrait en buste de trois quarts se détachant sur un fond neutre est peint sur le traditionnel châssis de 22 par 17 cm que Boilly avait toujours en provision dans son atelier. Célèbre pour la ressemblance de ses figures, sans flatterie excessive, Boilly fut essentiellement sollicité par une clientèle bourgeoise. Pour satisfaire ses commanditaires, il réalisait en une ou deux séances ces petits portraits vendus pour un prix moyen de 120 francs, sans jamais laisser cependant sa rapidité d'exécution nuire à la qualité de sa peinture.
C'est ici une jeune femme à la mode que peint Boilly. Depuis le Directoire, l'Antiquité donne le ton au costume féminin. La tunique à la grecque faite de tissus vaporeux et transparents évolue vers cette légère robe blanche à taille haute et manches courtes dite "à bretelles" qui dénude les bras et la gorge. Seules fantaisies, le ruban jaune noué et la parure de corail. Egalement inspirée par l'antique, la coiffure est une coupe "à la Titus", dont la vogue fut lancée pour les hommes par l'acteur Talma, et que les élégantes du Directoire et du Consulat adoptèrent très vite. Les journaux de mode se firent l'écho, à partir de l'an VI (1798), de ces coiffures aux cheveux courts dites à la Titus, en Porc-épic ou à la Caracalla. Palette, un coiffeur de l'époque, fit même publier un *Eloge de la coiffure à la Titus pour les dames,* vantant le désordre savamment étudié de cette coupe qui *"donne l'air jeune, remplace tous les ornements, les bijoux et les plumes".*

**K.H.**

**Historique :** *vente, Paris, Palais Galliera, 25 mars 1969, n°218 (acquis par Martial Lapeyre).*

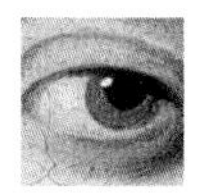

Louis-Léopold Boilly
(1761-1845)

Portrait de Madame Fouler
comtesse de Relingue

*Vers 1810*

*Huile sur toile*

*H. 22 ; L. 17 cm*

*Paris, Fondation Napoléon, inv. 754 (donation Lapeyre)*

# Montre à automates



## Anonyme

Montre de poche : femme et enfant près d'une urne marquée "souvenir"

*Vers 1810*

*Cadran en émail ; boîtier en or émaillé ; aiguilles en or Chiffres arabes*

*Echappement à verge ; double fond avec deux automates au mouvement indépendant de celui de la montre ; levier de marche et arrêt à la demande.*

*Or, émail, perles, cristal*

*H. 8 ; D. 5,5 cm*

*Paris, Fondation Napoléon, inv. 605 (donation Lapeyre)*

Cette montre à double fond dissimule deux automates en or ciselé se détachant sur une peinture sur émail représentant un paysage suisse avec au premier plan une urne sur piédestal. Un homme en tenue nationale tourne une roue à rayons en marcassite, alors que devant lui un adolescent affûte un couteau sur une meule irriguée par un jet d'eau en cristal rotatif provenant de l'urne.

**Historique :** *vente, Paris, Hôtel Drouot, 17 mars 1982, n°110 (acquis par Martial Lapeyre).*

Anonyme

Boîte à automate : le pêcheur

*Début du XIXe*

*Or, perles, émail, cristal*

*Trace de poinçon*

*H. 2 ; L. 7,8 ; L. 5 cm*

*Paris, Fondation Napoléon, inv. 1058 (donation Lapeyre)*

# Boîte à automates

[n° 8]

Le couvercle de cette boîte est orné d'un trophée musical. A l'intérieur, un automate en or ciselé représente un pêcheur en train de sortir un poisson d'une rivière devant un paysage en émail. L'eau est figurée par un tube de cristal rotatif.

**Historique :** *acquis par Martial Lapeyre à Paris en 1978.*

Vinaigrette

*Vers 1814*

*Or, porcelaine*

*Poinçon attribué à C. Petschler*

*H. 1,3 ; L. 3,3 ; L. 4,2 cm*

*Paris, Fondation Napoléon, inv. 630 (donation Lapeyre)*

# Vinaigrette

[n° 10]

À une époque où l'insalubrité et la mauvaise hygiène sont courantes, la boîte à parfums fait partie du quotidien des femmes délicates. Son nom de vinaigrette lui vient de son contenu, une petite éponge imbibée de vinaigre parfumé, inhalé pour ses vertus vivifiantes. Objet intime aussi bien qu'accessoire de mode, les vinaigrettes ont revêtu toutes les formes en fonction des envies de leurs propriétaires. À l'intérieur de la boîte, ici montée en pendentif, une grille à charnière finement ajourée et ouvragée permet de maintenir l'éponge. Le couvercle est orné d'un médaillon en porcelaine figurant un couple antique, Orphée ramenant Eurydice des Enfers.

**K.H.**

**Historique :** *vente, Paris, Hôtel Drouot, 27 octobre 1980, n°128 (acquis par Martial Lapeyre).*

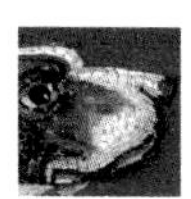

Anonyme

Boîte ornée d'une micromosaïque : chien assis

*Or, pierres dures*

*Diam. : 7,1 cm*

*Paris, Fondation Napoléon, inv. 637 (donation Lapeyre)*

# Boîte au chien

[n° 11]

Cette boîte, qui ne présente aucun poinçon d'orfèvre, contient une feuille manuscrite indiquant qu'elle fut la propriété de Fédor Rostopchine (1765-1826), gouverneur de Moscou, laissée sur la table de son bureau lors de l'incendie du Kremlin, rapportée de Russie et achetée par le baron Ruphy pour 700 F.

**Historique :** *vente, Paris, Hôtel Drouot,18 avril 1983, n°50 (acquis par Martial* Lapeyre).

# Boîte aux colombes

[n° 12]

Un billet signé du prince Esterhazy (1786-1866), diplomate autrichien, en date du 24 juin 1810, accompagne cette boîte. Il remercie le botaniste André Thouin pour un envoi de plantes et lui envoie ce *"petit souvenir"* pour témoigner de sa reconnaissance. Thouin (1747-1824) jardinier en chef du Jardin des Plantes, membre de l'Académie des Sciences et professeur au Museum, a copié au dos du billet sa réponse remerciant le prince pour ce *"splendide présent"* : *"[...] les plantes que j'ai offert à votre altesse sont des enfants qu'il suffisait à mon amour paternel de placer en bonnes mains [...]".*

La micromosaïque ornant le couvercle de cette boîte est une réplique de la mosaïque aux colombes trouvée à la Villa Hadriana en 1737 et conservée au musée du Capitole à Rome. Plusieurs copies de cette célèbre composition furent exécutées au début du XIXe siècle, dont une se trouvait dans les collections de l'impératrice Joséphine.

**K.H.**

**Historique :** *cadeau du prince Paul-Antoine Esterhazy à André Thouin en 1810 ; vente, Paris, Hôtel Drouot, 2 décembre 1983, n°73 (acquis par Martial Lapeyre).*

D'après la façon obligeante dont vous avez [illegible] preuve hier qui vous [illegible] produire les belles plantes que vous [illegible] direction, je suis [illegible] voudrez avoir la complaisance [illegible] le petit souvenir que je vous [illegible] [illegible] prix. Je saisis avec empressement cette occasion pour vous renouveler les assurances de la plus parfaite Considération avec laquelle je suis Votre très affectionné Prince Esterhazy

Paris le 24 Juin 1810

Boîte ornée d'une micromosaïque : colombes

*Or, émail, pierres dures*

*Poinçon de l'orfèvre suisse, Georges Rémond*

*H. 2,2 ; L. 8,2 ; L. 5,4 cm*

*Paris, Fondation Napoléon, inv. 633 (donation Lapeyre)*

Charles-Pierre Cior
(1769- vers1840)

Portrait du prince Alexandre Kourakin

*Miniature sur ivoire signée en bas à gauche* Cior p. *montée sur une boîte ronde*

*Poinçon de l'orfèvre François-Nicolas Duprez (actif entre 1800 et 1822)*

*Or, écaille*

*H : 2 ; Diam : 9 cm*

*Paris, Fondation Napoléon, inv. 1066 (donation Lapeyre)*

# Prince Alexandre Kourakin

|n° 13|

Charles-Pierre Cior a mené une carrière internationale essentiellement auprès d'une clientèle princière en Russie et en Espagne. Cette bonbonnière en écaille brune doublée d'or est surmontée du portrait d'Alexandre Kourakin (1752-1852), compagnon d'études et ami de Paul Ier qui fut choisi par le tsar Alexandre Ier pour participer aux négociations du traité de Tilsit en 1807. Ambassadeur à Paris en 1808 où il remplaça Tolstoï, il fut impliqué dans une affaire d'espionnage en 1811 et quitta son poste en 1812.

**K.H.**

**Historique :** *collection du comte Pierre-Alexandrovitch Tolstoï (1769-1844) ; vente, Paris, Palais Galliera, 5 décembre 1974, n°24 (acquis par Martial Lapeyre).*

Ecole française du XIXe siècle

Portrait du maréchal Lannes

*Miniature sur ivoire montée sur une boîte signée* Marguerite joaillier de la Couronne de leurs Majtes imples et royles

*Poinçon de l'orfèvre Augustin-André Heguin (actif entre 1785 et 1806)*

*Or, émail*

*H. 2,1 ; L. 9,2 ; L. 5,7 cm*

*Paris, Fondation Napoléon, inv. 1067 (donation Lapeyre)*

# Maréchal Lannes

|n° 14|

Jean Lannes (1769-1809), maréchal de l'Empire en 1804, duc de Montebello en 1808, succomba à ses blessures après la bataille d'Essling. La miniature ornant cette boîte s'inspire de son portrait en pied par Gérard, l'uniforme militaire étant remplacé par un costume civil paré de décorations.
Bernard-Amand Marguerite (actif entre 1804 et 1815), associé puis successeur de son beau-père Edme-Marie Foncier, avait son enseigne *Au Vase d'Or* au 127 (puis 177) rue Saint-Honoré. Concurrent de Nitot, il fut le joaillier de la Couronne sous l'Empire, livrant certaines parures des souverains pour le Sacre ainsi que des boîtes de présent (cat. n° 68, 94, 97).

**K.H.**

**Historique :** *vente, Paris, Hôtel Drouot, 6 novembre 1978, n°58 (acquis par Martial Lapeyre).*

## Portrait de jeune femme parée de perles [n° 15]

Jean-Urbain Guérin appris les rudiments de l'art de la miniature auprès de son père, Christophe Guérin, à Strasbourg. Il s'installa à Paris en 1785 et reçut la protection de la reine Marie-Antoinette. Après la tourmente révolutionnaire, il fut un temps proscrit puis revint à Paris, participant pour la première fois au Salon en 1798 avec le portrait de son ami d'enfance, le général Kléber. Il fréquenta les ateliers de Regnault et d'Isabey et fut un miniaturiste recherché.

**K.H.**

**Historique :** *vente, Paris, Hôtel Drouot, 27 avril 1979, n°77 (acquis par Martial Lapeyre).*

Jean-Urbain Guérin
(1760-1836)

Portrait de jeune femme parée de perles

*Miniature sur ivoire signée à gauche* J. Guérin F *montée sur une boîte signée* Vachette, bijoutier à Paris 20 K 5

*Poinçon de l'orfèvre Adrien-Jean-Maximilien Vachette (actif entre 1779 et 1839)*

*Or, émail*

*H. 2,1 ; L. 8 ; L. 5,8 cm*

*Paris, Fondation Napoléon, inv. 639 (donation Lapeyre)*

## Portrait de jeune femme [n° 16]

Daniel Saint figure parmi les élèves les plus doués d'Isabey. Il reçut dans son atelier une formation digne de son talent, collaborant aux nombreuses commandes des portraits impériaux signés par le maître, avant d'entreprendre une carrière autonome et de produire ses propres effigies de l'Empereur, de l'Impératrice et des Bonaparte (cat. n° 70, 86, 94). Miniaturiste célèbre sous l'Empire, il exposa au Salon de 1804 à 1839.

**K.H.**

**Historique :** *vente, Berne, Galerie Jürg Stuker, 20 novembre 1981, n°20 (acquis par Martial Lapeyre).*

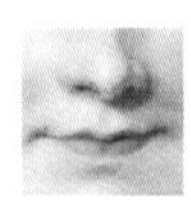

Daniel Saint
(1778-1847)

Portrait de jeune femme

*Miniature sur ivoire signée à gauche* Saint *montée sur une boîte signée* Gibert successeur de Lempereur à Paris

*Poinçon de l'orfèvre Adrien-Jean-Maximilien Vachette (actif entre 1779 et 1839)*

*Or, émail*

*H. 2, 6 ; L. 9 ; L. 6,2 cm*

*Paris, Fondation Napoléon, inv. 628 (donation Lapeyre)*

# Nécessaire aux armes de Soult

|n° 17|

Jean-de-Dieu Soult (1769-1851), maréchal de l'Empire, aimait à s'entourer de luxe, le somptueux aménagement de ses demeures et surtout sa fabuleuse collection de peintures espagnoles, fruit de ses pillages, en témoignent. Cet imposant nécessaire, livré après 1808 puisqu'il porte les armes du duc de Dalmatie, titre octroyé le 29 juin de cette année là, rassemble quarante-cinq pièces d'un service en vermeil exécuté par quatre orfèvres différents. Les couverts portent les poinçons de Boulanger et de Castel ; le drageoir aux anses en forme de cygnes, au pied à têtes de béliers, et son présentoir, ont été fournis par Huguet ; Minot a réalisé la pince à sucre. Chaque pièce d'orfèvrerie porte les armes du maréchal Soult, duc de Dalmatie, *"d'or chargé d'un écusson de gueules à trois têtes de léopard d'or en rencontre 2.1 ; au chef des ducs de l'empire"*.

Cet ensemble est révélateur du train de vie dispendieux du couple Soult. L'orfèvre Boulanger les fournissait en médaillon, boîtes, nécessaires et vaisselle de table et, en 1808-1809, la maréchale Soult (1771-1852) lui acheta un service complet en argent aux armes pour la faramineuse somme de 82 216 F.

Le coffret est loin de présenter la qualité de travail de Biennais, le maître en la matière (cat. n°1). Aucun des compartiments n'est creusé dans la masse. Une matrice de carton recouverte de maroquin rouge aux dimensions du coffret a été travaillée pour recevoir les divers éléments du nécessaire mais, à la différence des coffrets de Biennais, certaines pièces s'emboîtent à plusieurs endroits. Le rangement pouvant alors se transformer en véritable casse-tête, des petits numéros d'ordre ont été apposés postérieurement dans les différents compartiments.

**K.H.**

**Historique :** *livré après 1808 à Soult ; resté dans sa descendance ; vente, Paris, Hôtel Drouot, 30 mai 1980, n°87 (acquis par Martial Lapeyre).*

**Exposition :** *2003, Sao Paulo, n°164.*

**Bibliographie :** *Gotteri, 1991, p. 425.*

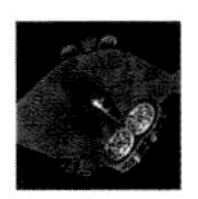

Jean-Nicolas Boulanger (actif entre 1783 et 1817), Gilbert-Nicolas Castel (actif entre 1798 et 1818), Philippe-Jean-Baptiste Huguet (actif entre 1800 et 1816), Philippe-Louis Minot (actif entre 1807 et 1815)

Nécessaire aux armes du maréchal Soult, duc de Dalmatie

*Vers 1808*

*Argent doré, porcelaine de Paris, cristal taillé, écaille, ivoire*

*Coffret en acajou avec garniture de cuivre et de bronze*

*H. 22 ; L. 62 ; P. 45,5 cm*

*Paris, Fondation Napoléon, inv. 577 (Donation Lapeyre)*

# Pendule squelette

[n° 18]

## Pendule squelette

*Epoque révolutionnaire*

*Bronze ciselé et doré, marbre, émaux polychromes signés Coteau*

*H. 43 ; L. 26 ; P. 14 cm*

*Paris, Fondation Napoléon, inv. 809 (donation Lapeyre)*

*Le cadran principal indique les heures, les minutes et secondes duodécimales, les jours et les quantièmes républicains. Le cadran supérieur indique les phases de la lune ; le cadran inférieur indique les heures et minutes décimales, les mois républicains et grégoriens.*
*Échappement à chevilles, à bras longs en acier; balancier horizontal à ressort spiral.*

De nombreuses pendules squelette ont été fabriquées durant les dernières années du XVIIIe siècle. Celle-ci, au décor émaillé dû à Joseph Coteau (1740-1801) qui travailla pour la manufacture de Sèvres de 1780 à 1784, se distingue par ses deux cadrans répondant aux exigences de la nouvelle division du temps imposée par l'adoption du calendrier républicain. C'est par un décret du 4 frimaire An II (24 nov. 1793) que la Convention ordonna le remplacement du calendrier grégorien par le calendrier républicain. Basé sur le système décimal, il divisait la journée en 10 heures de 100 minutes, remplaçait la semaine par une décade de dix jours, un mois étant formé de trois décades. Débutant le 22 septembre, jour de la proclamation de la République et de l'équinoxe d'automne, l'année était constituée de 12 mois de trente jours, auxquels s'ajoutaient cinq (ou six pour les années dites sextiles) jours complémentaires en fin d'année, dits "Sanculotides", pour célébrer les fêtes républicaines.
Ce système, simple en apparence, n'eut pas la pérennité espérée. En effet, les habitudes restèrent ancrées, et les difficultés techniques alliées à la présence des indicateurs de temps déjà existants, firent que le 18 Germinal an III (7 avril 1795) la Convention suspendit "indéfiniment" le décret relatif à l'heure décimale. Cette période n'aura effectivement duré que moins d'un an, d'où la rareté des objets d'horlogerie utilisant ce système de comptage du temps. Quant au calendrier républicain, Napoléon Ier l'abolit le 22 fructidor an XIII (9 septembre 1805) avec prise d'effet le 1er janvier 1806.

**C.S.**

**Historique :** *vente, Paris, Palais d'Orsay, 23 février 1978 (acquis par Martial Lapeyre).*

# Montres de poche

[n° 19 à 24]

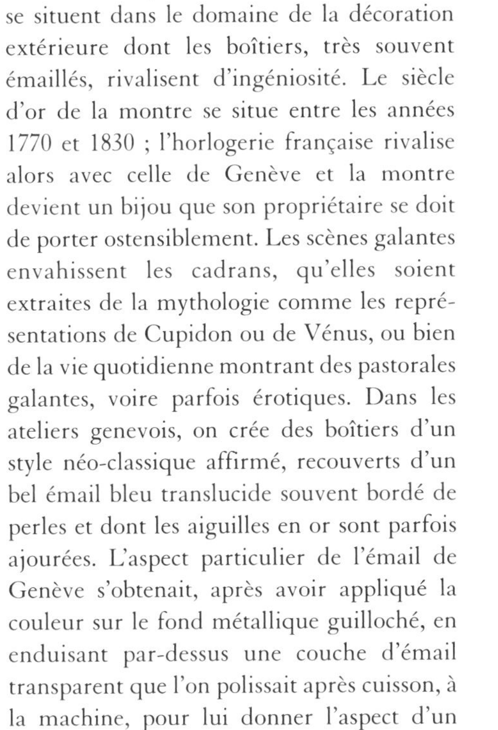

Ces montres sont tout à fait banales sur le simple plan de l'art horloger et se ressemblent toutes. Leur prix et leur intérêt artistique se situent dans le domaine de la décoration extérieure dont les boîtiers, très souvent émaillés, rivalisent d'ingéniosité. Le siècle d'or de la montre se situe entre les années 1770 et 1830 ; l'horlogerie française rivalise alors avec celle de Genève et la montre devient un bijou que son propriétaire se doit de porter ostensiblement. Les scènes galantes envahissent les cadrans, qu'elles soient extraites de la mythologie comme les représentations de Cupidon ou de Vénus, ou bien de la vie quotidienne montrant des pastorales galantes, voire parfois érotiques. Dans les ateliers genevois, on crée des boîtiers d'un style néo-classique affirmé, recouverts d'un bel émail bleu translucide souvent bordé de perles et dont les aiguilles en or sont parfois ajourées. L'aspect particulier de l'émail de Genève s'obtenait, après avoir appliqué la couleur sur le fond métallique guilloché, en enduisant par-dessus une couche d'émail transparent que l'on polissait après cuisson, à la machine, pour lui donner l'aspect d'un verre transparent.

A partir de 1770 apparaissent sur le cadran de petits personnages dits jacquemarts, qui semblent frapper l'heure sur une cloche minuscule. Vers 1800, les boîtiers deviennent plus plats grâce à une nouvelle conception de construction due à l'horloger français Lépine et le diamètre des montres se fixe entre 5 et 6 cm. Au début du XIXe siècle, 50 000 montres sortaient chaque année des ateliers horlogers genevois, dont 12 000 étaient logées dans des boîtiers émaillés.

**C.S.**

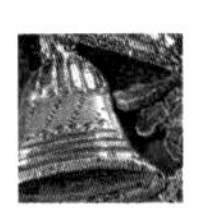

[n° 24]

### Anonyme

Montre de poche dite "Martin, Martine"
*Cadran en émail blanc ; boîtier en or ; chiffrée C.M. dans un cartouche ovale, en bas*
*Chiffres arabes pour les heures*
*Mouvement à répétition des quarts en métal doré, échappement à verge ;*
*Jacquemarts frappant deux cloches. Début du XIXe siècle*

*H. 8 ; D. 5,3 cm*

*Paris, Fondation Napoléon, inv. 604 (donation Lapeyre)*

**Historique :** *vente, Paris, Hôtel Drouot, Me Nicolay, 23 février 1979 (acquis par Martial Lapeyre).*

[n° 21]

### Blonay (horloger suisse ?)

Montre de poche : jeune femme devant une urne sertie de roses et de demi perles. *Cadran en émail blanc ; double boîtier en or et verre ; aiguilles en or ajourées. Chiffres romains pour les heures et les minutes*
*Mouvement en métal doré, échappement à verge*

*Vers 1800*

*D. 6 cm*

*Paris, Fondation Napoléon, inv. 990 (donation Lapeyre)*

**Historique :** *vente, Paris, Hôtel Drouot, Me Chayette, 4 juin 1981, n° 163 (acquis par Martial Lapeyre).*

[n° 22]

## Louis Duchêne et fils

Montre de poche : pastorale

*Cadran en émail blanc signé* "Louis Duchêne & Fils" *composé de trois cadrans peints, l'un pour l'heure, le second pour le quantième du mois et le troisième pour les jours de la semaine. Or et roses de diamant ; boîtier numéroté 47633. Chiffres arabes pour les heures et les minutes Mouvement en métal doré, échappement à verge. Vers 1800*

*H. 7,2 ; D. 5,3 cm*

*Paris, Fondation Napoléon, inv. 613 (donation Lapeyre)*

**Historique :** ***Collection Müller de Milan ; vente, Paris, Hôtel Drouot, 10 novembre 1982, n° 161 (acquis par Martial Lapeyre).***

[n° 20]

## Anonyme

Montre de poche : une mère et son enfant

*Cadran en émail blanc ; or et émail peint ; aiguilles découpées en acier bleui. Chiffres romains pour les heures. Mouvement en métal doré, échappement à verge.*

*Vers 1800*

*H. 7,2 ; D. 5,3 cm*

*Paris, Fondation Napoléon, inv. 607 (donation Lapeyre)*

**Historique :** ***vente, Paris, Hôtel Drouot, 4 juin 1981, n° 164 (acquis par Martial Lapeyre).***

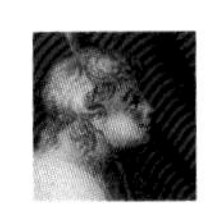

[n° 19]

## André Hessen (1746-après 1793)

Montre de poche : le Jardin des Hespérides

*Cadran en émail blanc, signé :* "Hessen A PARIS" *; boîtier plat en or émaillé, personnages en grisaille sur fond translucide émaillé bleu nuit, entouré d'une guirlande torsadée verte et or. Chiffres arabes pour les heures et les minutes. Remontage sur le cadran. Mouvement : métal doré, un rubis sur le coq, échappement à verge ; mouvement à pont primitif pour le barillet et la fusée. Epoque Directoire*

*H. 7,6 ; D. 5,3 cm*

*Paris, Fondation Napoléon, inv. 619 (donation Lapeyre)*

**Historique :** *acquis par Martial Lapeyre en 1980.*

[n° 23]

## Philippe Ferrot (horloger genevois)

Montre de poche : femme auprès d'un Amour

*Cadran en émail blanc entouré de perles signé* "Phpe Ferrot à Genève", *aiguilles ajourées en or; boîtier en or numéroté 8990 et chiffre CP sur la bélière. Chiffres arabes pour les heures et les minutes . Mouvement en métal doré, échappement à verge Epoque Directoire*

*H. 7,2 ; D. 5,2 cm*

*Paris, Fondation Napoléon, inv. 995 (donation Lapeyre)*

**Historique :** *acquis par Martial Lapeyre en 1980.*

Attribué à
Pierre-Philippe
Thomire (1751-1843)

Athénienne transformée
en guéridon

*Epoque Empire*

*Bronze doré, porphyre brun*

*H. 81 ; D. 36 cm*

*Paris, Fondation Napoléon,
inv. 870 (donation Lapeyre)*

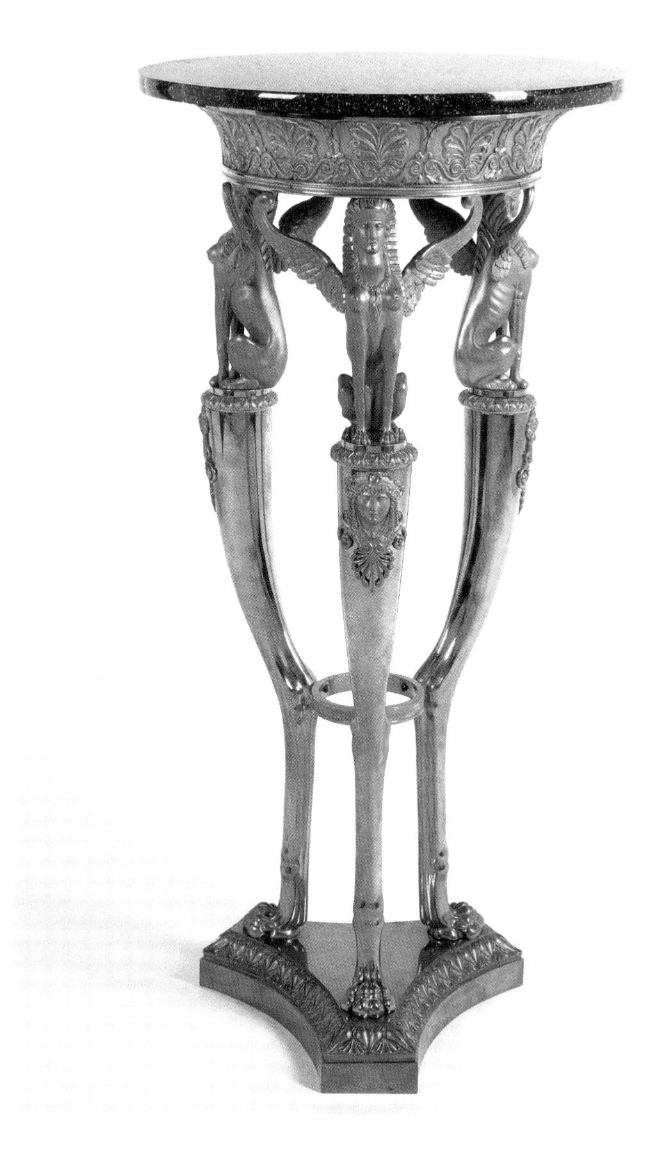

# Athénienne transformée en guéridon [n° 25]

La création de l'athénienne remonte aux environs de 1773 lorsque l'ébéniste Jean-Henri Eberts publia à Paris une gravure de la première, adaptation moderne du tripode gréco-romain. Eberts en avait pris l'idée dans un tableau de sa collection, peint par Joseph-Marie Vien intitulé *Une prêtresse brûle de l'encens sur un trépied, dit la vertueuse athénienne*. L'athénienne convenait à plusieurs usages : munie de son couvercle, elle devenait brûle-parfum, le couvercle ôté, elle se transformait en jardinière, ou bien on pouvait y placer une cuvette pour se laver les mains. Ce type de meuble connut un grand succès sous l'Empire ; cet exemplaire, transformé en guéridon par l'adjonction d'un dessus de porphyre, était vraisemblablement à l'origine un lavabo, le pot à eau reposant sur le cercle entre les trois jarrets, et la cuvette occupant l'emplacement du plateau de porphyre. Ce modèle perdura au-delà de l'Empire, puisqu'en 1818 l'ébéniste Mme Morillon livrait un lavabo presque semblable, mais en acajou et bronze doré, pour la chambre à coucher du comte d'Artois aux Tuileries (musée de Malmaison).

**B.C.**

**Historique :** *acquis par Martial Lapeyre à Paris, en 1981.*

**Exposition :** *2003, Sao Paulo, n° 131.*

# Paire de tasses et soucoupes

[n° 26]

Ces deux tasses sont livrées par la manufacture royale de Sèvres le 3 janvier 1818 à Charles-Ferdinand d'Artois duc de Berry (1778-1820), neveu de Louis XVIII et fils du futur Charles X. On ignore si elles devaient servir de cadeaux de la part du prince, ou bien s'il les destinait à son usage personnel, mais il est rare qu'elles aient pu parvenir jusqu'à nous sans être séparées depuis l'époque de leur livraison. Toutes deux sont peintes par Mlle Fanny Charrin, peintre de portraits spécialisée dans la miniature ; originaire de Lyon, elle est l'élève de Charles-Etienne Leguay, peintre de figures attaché à la manufacture de Sèvres où elle-même travaille de 1815 à 1826. Elle expose à Paris au Salon entre 1803 et 1824 et meurt dans cette ville en 1854. Sa spécialité à Sèvres est de peindre des portraits sur des tasses ; ainsi dans la seule année 1816, outre la nôtre, elle livre des tasses représentant Mlle de Montpensier, la princesse de Condé, le Grand Dauphin, Mme de Maintenon, le cardinal de Richelieu ou Mlle de Lavallière ! Le portrait de Marie-Thérèse est réalisé pour 200 F de mars à juillet 1816, puis celui de Mme de Grignan, de janvier à août 1817, pour 240 F. Comme pour la plupart de ses portraits, Fanny Charrin se contente de copier les fameux émaux peints sur émail par Jean Petitot (1607-1691) conservés au Musée Royal (actuel musée du Louvre). La tasse représentant Marie-Thérèse entre au magasin de vente le 11 septembre 1816 pour un prix de fabrication de 434 F et un prix de vente de 450 F. Tous les ornements de la tasse de Mme de Grignan sont exécutés par Jean-François-Henri Philippine entre le 13 juin 1816 et le 1er novembre 1817 ; elle entre au magasin de vente de la manufacture le 26 décembre 1817 pour un prix de fabrication de 513, 20 F et un prix de vente de 600 F. Toutes deux sont munies d'une anse de vermeil fournie pour 30 F pièce par l'orfèvre monteur de la manufacture de Sèvres, Pierre-Noël Blaquière (Paris vers 1781-Paris 1849).

**B.C.**

**Historique :** *livré par la manufacture de Sèvres le 3 janvier 1818 au duc de Berry ; vente, Paris, Hôtel Drouot, 4 mars 1981, n°56 et n°57 (acquis par Martial Lapeyre).*

**Exposition :** *2003, Sao Paulo, n° 161.*

**Archives de la Manufacture de Sèvres :** *Pb 4, Vbb 5, Vj' 23 et 24.*

Manufacture de Sèvres

Paire de tasses et soucoupes
*forme Jasmin 1ère grandeur, pied cannelé, fond d'or, portraits de Marie-Thérèse d'Autriche, épouse de Louis XIV, et de Madame de Grignan ; anses en vermeil 1812 (en partie pour les soucoupes), 1816 (Marie-Thérèse d'Autriche) et 1817 (Madame de Grignan)*
*Porcelaine dure, argent doré*

*Tasse : H. 10 cm*

*Soucoupe : D. 16 cm*

*Paris, Fondation Napoléon, inv. 793 a et b (donation Lapeyre)*

Manufacture de Dihl et Guérhard

Portrait de jeune femme, *signé en bas* "drölling.p.t" *et marque* "Mre de Dihl et Guerhard à Paris"

*Porcelaine dure, bronze doré*

*D. 15,3 ; avec cadre : 17,3 cm*

*Paris, Fondation Napoléon, inv. 663 (donation Lapeyre)*

**Historique :**
*vente, Paris, Hôtel Drouot, 18 juin 1970, n° 51 (acquis par Martial Lapeyre).*

# Portrait de jeune femme

[n° 27]

Martin Drolling (1752-1817), connu comme peintre de genre, d'intérieurs et de portraits, expose au Salon de 1793 à 1817. Bien qu'artiste renommé, il ne néglige pas de travailler pour la manufacture de Dihl, peignant sur des plaques de porcelaine les portraits de Dihl lui-même ou de Bonaparte, ou bien réalisant des scènes diverses sur de simples assiettes. Drolling ne considère pas ce genre comme mineur ; il n'hésite pas à signer ses œuvres, au moment où le critique Jean-Baptiste Chaussard s'apitoie sur son sort qu'il considère comme déplorable, étant attaché à une simple manufacture de porcelaine. Il reconnaît pourtant et écrit : *"applaudissons néanmoins aux efforts et à la constance que M. Dihl a développée pour donner aux manufactures de porcelaine un éclat indépendant de celle de la fabrication et pour ajouter à leur prix par la valeur de la peinture. Ce genre n'est point à dédaigner, il ouvre à l'industrie et aux arts de nouveaux débouchés, il donne au luxe un caractère de goût et d'élégance, il agrandit le domaine de l'art."* Sa célébrité fait engager Drolling à la manufacture de Sèvres où il travaille de 1802 à 1813.

**B.C.**

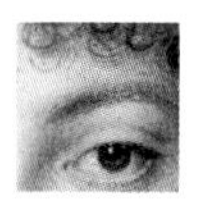

[n°29]
Jean-Urbain Guérin (1760-1836)

Portrait de jeune fille

*Miniature sur ivoire signée en bas à gauche* J. Guérin

*H. 8,3 ; L. 6,5 cm*

*Paris, Fondation Napoléon, inv. 676 (donation Lapeyre)*

**Historique :**
*vente, Paris, Hôtel Drouot, 17 mai 1976, n°48 (acquis par Martial Lapeyre).*

# Le portrait miniature

[n° 28 à 32]

Le portrait miniature connut un véritable essor à la fin du XVIIIe et au début du XIXe siècle, avant que l'arrivée de la photographie ne lui porte un coup fatal. Les guerres révolutionnaires puis les campagnes napoléoniennes contribuèrent à cette vogue, chaque soldat souhaitant emporter au loin le souvenir de l'être cher, chaque femme conserver près d'elle le visage de l'être aimé. Objet intime et sentimental ou support diffusant l'image de personnages célèbres, la miniature se devait avant tout d'être ressemblante. Le prix dépendait de la représentation, en buste ou à la taille, avec ou sans les mains. Le portrait était peint à l'aquarelle et à la gouache sur une fine feuille d'ivoire puis simplement encadré, enchâssé dans le couvercle d'une boîte ou monté en médaillon. Support privilégié par les artistes, l'ivoire permettait de rendre la transparence et la blancheur des carnations des femmes de la haute société.

**K.H.**

drölling. pt

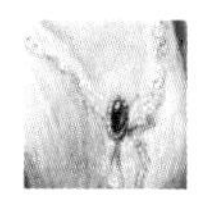

[n°28]

Pierre-Louis Bouvier (1766-1836)

Portrait de jeune femme

*Miniature sur ivoire, signée et datée en bas à gauche*
Bouvier 1797

*Diam. : 8,6 cm*

*Paris, Fondation Napoléon, inv. 685 (donation Lapeyre)*

**Historique :**
*vente, Paris, Hôtel Drouot, 9 mai 1969, n° 36 (acquis par Martial Lapeyre).*

[n°30]

Ecole française début du XIXe siècle

Portrait de jeune femme peignant

*Miniature sur ivoire*

*Diam. : 8,6 cm*

*Paris, Fondation Napoléon, inv. 650 (donation Lapeyre)*

**Historique :**
*vente, Hôtel Drouot, Paris, 9 mai 1969, n° 46 (acquis par Martial Lapeyre).*

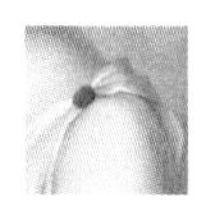

[n°31]

## Daniel Saint
## (1778-1847)

Portrait de jeune femme

*Miniature sur ivoire signée en bas à gauche* Saint.

*H. 6,6 ; L. 5 cm*

*Paris, Fondation Napoléon, inv. 716 (donation Lapeyre)*

**Historique :**
*vente, Monte-Carlo, 4 mai 1977, n°85 (acquis par Martial Lapeyre).*

**Exposition :**
*1954, Carnegie Institute, n°83.*

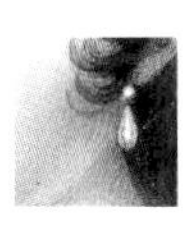

[n°32]

## François Sieurac
## (1781-vers 1832)

Portrait de jeune femme

*Miniature sur ivoire signée en bas à gauche* Sieurac

*H. 10,1 ; L. 9,3 cm*

*Paris, Fondation Napoléon, inv. 1107 (donation Lapeyre)*

**Historique :**
*vente, Paris, Hôtel Drouot, 21 novembre 1967, n°55 (acquis par Martial Lapeyre).*

Cette miniature s'inspire du portrait de Madame Bonaparte dans son salon peint par Gérard vers 1801 (musée national de Malmaison). Bien que la coiffure, la parure de bijoux et la robe soient les mêmes, le peu de ressemblance du modèle nous fait hésiter sur l'identification de Joséphine.

# Portrait de jeune femme

[n° 33]

Ce beau portrait fut acquis par Martial Lapeyre en 1961. Il était alors attribué au baron Gérard, portraitiste officiel de Napoléon, de la famille impériale et des grands dignitaires de l'Empire. En dépit de l'absence de documents permettant de retracer l'historique de l'oeuvre, une autre paternité peut être avancée, celle de Louis-André-Gabriel Bouchet, peintre d'histoire et portraitiste bien injustement oublié.
Elève de David, Bouchet remporta le Premier Grand Prix de Rome en 1797 avec *La Mort de Caton d'Utique* (Ecole nationale supérieure des Beaux Arts), conjointement avec Pierre Bouillon et Pierre-Narcisse Guérin. Ses œuvres ont figuré aux Salons de 1791 à 1827. S'il se distingua à plusieurs reprises avec des tableaux d'histoire, c'est dans le genre du portrait que ses qualités s'exprimèrent avec le plus de force. D'ailleurs, l'administration des Beaux-Arts ne s'y trompa pas en lui passant plusieurs commandes : l'Empereur en costume de sacre en 1805 et 1808, l'impératrice Marie-Louise en 1813 et un portrait du ministre des Cultes, Bigot de Préameneu, en 1810.
Quelques portraits de Bouchet sont répertoriés dans les musées : portraits officiels (copie d'après Gérard du Napoléon en costume de sacre, musée de Fontainebleau ; Louis XVIII, musée Granet d'Aix) ; portraits d'hommes (personnage non identifié, musée Georges Garret à Vesoul ; portrait de Chaptal, musée Carnavalet) ou portraits de groupe (trois sœurs ; groupe familial, Detroit Institute of Arts ; femme avec ses deux enfants, Seattle Art Museum). Une série de portraits passés en vente publique (Paris, Hôtel Drouot, 17 juin 1994, n° 71 à 74) montrent des analogies avec le nôtre et tendent à en confirmer l'attribution. Cette remarquable suite de quatre tableaux représente les enfants du peintre Jean-Baptiste Isabey : Alexandrine, Lucie, Hector et Eugène. Les deux portraits féminins situent, comme ici, leur modèle en extérieur, dans un paysage propice à la rêverie romantique mêlant végétation et éléments architecturaux. Le même charme émane de ces toiles, notamment celui d'Alexandrine : même simplicité de la pose, même rondeur du modelé, même douceur mélancolique du sourire et profondeur du regard. D'une grâce infinie, toutes deux semblent surprises par le peintre dans la pratique d'une activité familière symbolisée par un carton à dessin pour Alexandrine, une partition de musique pour notre belle inconnue.
Un autre ensemble de trois tableaux de Bouchet (Paris, Espace Tajan, 18 décembre 2003, n°47 et n°49), deux portraits féminins et un portrait masculin de facture plus maladroite, révèle encore des similitudes, notamment dans le visage du jeune garçon présentant une ressemblance certaine avec notre jeune femme.

**K.H.**

**Historique :** *vente, Paris, Palais Galliera, 11 décembre 1961, n°40 (acquis par Martial Lapeyre).*

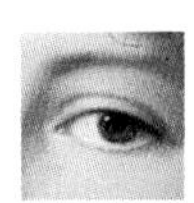

Attribué à
Louis-André-Gabriel
Bouchet (1759-1842)

Portrait de jeune femme
*Vers 1800-1805*
*Huile sur toile*
*H. 91 ; L. 72 cm*
*Paris, Fondation Napoléon, inv. 192 (donation Lapeyre)*

# Jean-Louis Demarne

[n° 34 à 39]

[n°34]
Jean-Louis Demarne
(1752 -1829)

Foire au bord d'une rivière
*Huile sur toile*
*H. 32 ; L. 47 cm*
*Paris, Fondation Napoléon, inv. 771 (donation Lapeyre)*

**Historique :**
*collection Simonet ; vente, Bruxelles, 19 mars 1873, n°86 ; vente, Paris, Palais Galliera, 31 mai 1972, n°31 ; vente, Paris, Galerie Charpentier, 15 juin 1945, n°100 ; vente, Paris, Hôtel Drouot, 25 mars 1983, n° 30 (acquis par Martial Lapeyre).*

**Bibliographie :**
*Watelin, 1962, probablement n°232.*

Artiste prolifique dont la production dépasserait le millier de tableaux, Jean-Louis Demarne fut l'illustrateur des mœurs rustiques de son époque, le chantre de la vie quotidienne des classes populaires sous la Révolution et l'Empire. D'origine flamande, Demarne est né à Bruxelles et a fait son apprentissage à Paris chez Gabriel Briard (1729-1777), le premier maître de Mme Vigée Lebrun. D'abord tenté d'épouser la carrière de peintre d'histoire, il se tourne, après avoir échoué aux concours du Prix de Rome en 1772 et 1774, vers la peinture de genre et le paysage, spécialités qui lui apporteront vite reconnaissance et succès. Agréé en 1783 par l'Académie royale comme "peintre dans le genre des animaux", Demarne débute au Salon de la même année et y participera jusqu'en 1827. Inspirée par les petits maîtres de l'école hollandaise, Karel Dujardin en particulier, son œuvre se caractérise par des compositions pittoresques où la verve de l'artiste s'épanouit dans l'évocation colorée et joyeuse des activités et des loisirs du petit peuple.

L'influence de la peinture hollandaise s'est doublée chez Demarne d'une constante observation de la nature, notamment lors de voyages effectués en Suisse et en Franche-Comté et, plus tard, sur la côte normande, Bayeux, Caen ou Dieppe, dont sa femme était originaire. La banlieue parisienne - le peintre possédait une maison à Saint-Denis -, fut aussi une source d'inspiration importante et lui aurait fourni l'un des thèmes récurrents de son œuvre, celui de la grande route, sujet exposé pour la première fois au Salon de 1799 et régulièrement repris ensuite. Demarne travaillait en effet par thèmes, exécutés sous forme de séries - les routes, les foires, les marines, les canaux -, tableaux qui échappent à la monotonie de la répétition grâce à d'infinies variations dans les compositions et à la force narrative du détail.

Routes ou canaux forment des perspectives fuyant vers l'horizon, autour desquelles s'articulent les mêmes éléments dans des combinaisons différentes : auberges, moulins, diligences, chariots, bacs en train d'être chargés ou déchargés (cat. n° 34, 37), le tout peuplé de personnages vacant à leurs occupations familières et de nombreux animaux, chevaux, ânes, vaches, moutons, chèvres, oies et chiens, omniprésents dans les scènes champêtres, pâturages, haltes à l'abreuvoir (cat. n° 39), marchés aux bestiaux, vues de plages avec retour de pêches (cat. n° 36, 37). Dans les scènes de foires et de fêtes villageoises, lorsque la foule se fait plus dense et l'animation plus vive, le talent d'anecdotier de Demarne fait merveille. Récurrente aussi, la présence de petits monuments gothiques dans nombre de ses compositions relève du sentiment romantique naissant emprunté ici à la peinture troubadour (cat. n° 34).

[n°35]
Jean-Louis Demarne
(1752 -1829)

La Foire de Makarieff
*Après 1815*
*Huile sur toile*
*H. 60 ; L. 87 cm*
*Paris, Fondation Napoléon, inv. 759 (donation Lapeyre)*

**Historique :**
*acquis par Nicolas Demidoff ; collection Demidoff ; vente, Paris, Galerie de San Donato, 21 et 22 février 1870, n°32 ; vente, Paris, collection du comte Naurois, 23 janvier 1879, n°6 ; vente, Paris, collection de M. Condet, 13 décembre 1920, n°20 ; vente, Paris, Galerie Charpentier, 15 juin 1945, n°99 ; vente, Lille, collection Boussac, 14 et 15 mars 1981, (acquis par Martial Lapeyre).*

**Exposition :**
*1935, Archives internationales de la danse, Festival, n°41.*

**Bibliographie :**
*Watelin, 1962, n°227, planche XXXIV ; 1974,* De David à Delacroix, *notice J. Foucart, pp. 389-391.*

Récompensé aux Salons de 1795, 1799, 1806, 1819, décoré de la Légion d'honneur en 1828, Demarne ne cherchait pourtant pas les honneurs. En 1806, Vivant Denon, qui possédait quatre tableaux de l'artiste dans sa collection, lui commande pour la Galerie de Diane du palais des Tuileries, *La rencontre de l'Empereur Napoléon Ier et du pape Pie VII dans la forêt de Fontainebleau, le 25 novembre 1804,* une toile réalisée en collaboration avec Dunouy pour les paysages (musée national de Fontainebleau). Si d'aucuns lui reprochaient une manière légèrement porcelainée - l'influence hollandaise encore, sans soute accentuée par ses collaborations avec la manufacture de Sèvres et celle de Dihl -, Demarne était soutenu par des collectionneurs passionnés tel le comte de Narp (ou Nape) qui possédait en 1817 trente et un tableaux de l'artiste. Son œuvre a en effet rencontré sous l'Empire un immense succès auprès d'une clientèle tant aristocratique que bourgeoise. L'impératrice Joséphine fit l'acquisition au Salon de 1804 d'*Un charlatan de village* et l'inventaire des collections du château de Malmaison après son décès en 1814 mentionne trois tableaux de Demarne, une *Foire de village avec tombeau gothique*, sans doute proche de celle présentée ici, une *Procession de la Fête-Dieu dans un village*, toutes deux exposées au Salon de 1808, et une *Vue d'une grande route.* C'est encore une variation autour du thème de la route, *Le Grand chemin,* qui apparaît dans les collections de Lucien Bonaparte dès 1804 tout comme, en 1806, *Une grande route, où on aperçoit une diligence,* achetée par l'empereur Alexandre ou, *Une Route,* acquise au Salon de 1814 par l'Etat.

Très prisés à l'étranger, les tableaux de Demarne le furent notamment en Russie. Après 1815, l'artiste exécuta d'ailleurs des compositions spécialement destinées au marché russe. *La Foire de Makarieff* (cat. n°35), manifestation qui se tenait annuellement dans les environs de Nijni Novgorod, sur la Volga, appartient à cette série. L'œuvre fut acquise par Nicolas Demidoff (1773-1828) qui comptait avec le prince Youssoupoff parmi les amateurs les plus fidèles du peintre français.

**K.H.**

[n°36]

## Jean-Louis Demarne (1752 -1829)

Plage à marée basse

*Huile sur panneau*

*H. 47 ; L. 60 cm*

*Paris, Fondation Napoléon, inv. 100 (donation Lapeyre)*

**Historique :**
*collection Lapeyre.*

[n°37]

## Jean-Louis Demarne (1752 -1829)

Pêcheurs sur la côte normande

*Huile sur toile*

*H. 31,5 ; L. 43 cm*

*Paris, Fondation Napoléon, inv. 773 (donation Lapeyre)*

**Historique :**
*collection Lapeyre.*

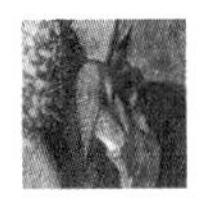

[n°38]

Jean-Louis Demarne
(1752 -1829)

Le Bac

*Huile sur toile signée et datée en bas à gauche* DeMarne Mai 1813

*H. 32 ; L. 40 cm*

*Paris, Fondation Napoléon, inv. 761 (donation Lapeyre)*

**Historique :** *vente, Paris, Hôtel Drouot, 4 juin 1958 (acquis par Martial Lapeyre).*

[n°39]

Jean-Louis Demarne
(1752 -1829)

La fontaine près d'un gros chêne ou la halte près de la fontaine

*Huile sur panneau signée en bas à droite* DeMarne

*H. 38 ; L. 52 cm*

*Paris, Fondation Napoléon, inv. 391 (donation Lapeyre)*

**Historique :** *vente, Paris, Hôtel Drouot, 11 mars 1967, (acquis par Martial Lapeyre).*

# Swebach-Desfontaines

[n° 40]

Né à Metz, Swebach s'installa très jeune à Paris où, élève de Michel Hamon-Duplessis, il débuta au Salon de la Correspondance en 1783 puis participa à l'Exposition de la Jeunesse en 1788 et 1789. Spécialiste des sujets militaires, des courses de chevaux ou scènes de chasse, il connut le succès auprès d'une clientèle friande de ses petits tableaux mêlant paysage et scènes de genre. Exposant ses œuvres aux Salons de 1791 à 1824 - il y obtint une récompense en 1810 pour *Napoléon franchissant le Danube,* il fut aussi le premier peintre de la manufacture de Sèvres de 1802 à 1813, travaillant sur de prestigieux ensembles comme le Service particulier de l'Empereur (cat. n° 110, 112, 113, 118). Après 1815, Swebach séjourna plusieurs années en Russie, appelé par le tsar pour occuper le poste de premier peintre de la manufacture impériale de porcelaine de Saint-Pétersbourg.
Si la peinture militaire, qui compose la majorité de son œuvre, fit sa réputation (cat. n° 132), Swebach rivalisa également avec Demarne ou Boilly dans la scène de genre. Celui que Charles Blanc qualifiait de "Carle Vernet en petit" fit du cheval le sujet central de son œuvre, le plaçant dans la plupart de ses compositions inspirées par le peintre hollandais Wouvermans. En 1800, il reçut commande de Madame Bonaparte d'un panneau destiné à Malmaison, *Cavalcade et promenade en calèche*, figurant la future impératrice en élégante amazone sur un cheval blanc.
Les vues de Paris, les représentations d'auberges, de foires ou de marchés aux chevaux sont nombreuses dans son oeuvre. *La Laitière* est une scène de la vie quotidienne rassemblant des sujets chers à l'artiste, la halte à l'abreuvoir, un cheval attelé à un chariot, et témoigne de son talent à rendre l'animation particulière d'une place et la simplicité des mœurs populaires.

**K.H.**

**Historique :** *vente, Paris, Galerie Charpentier, 7 et 8 décembre 1954, n°89 ; vente, Paris, Palais Galliera, 29 novembre 1965, n°129 ; Paris, Palais Galliera, 7 décembre 1967, n°152 (acquis par Martial Lapeyre).*

**Gravé par :** *J.P.M. Jazet sous le titre* Le matin.

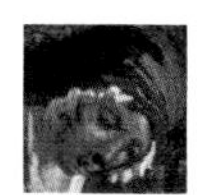

Jacques-François-Joseph Swebach dit Swebach-Desfontaines (1769-1823)

La laitière

*Huile sur toile signée en haut à droite : Sw*

*H. 24,5 ; L. 33 cm*

*Paris, Fondation Napoléon, inv. 760 (donation Lapeyre)*

Le Sacre

# Le Sacre
# Les fastes de la Cour

Le Sacre de Napoléon est au coeur de cette exposition du bicentenaire. Pour la première fois, voici une étude pour le *Sacre de L'Empereur Napoléon 1er et couronnement de l'Impératrice Joséphine à Notre-Dame le 2 décembre 1804* par David. Ce dessin a précédé la réalisation définitive du célèbre tableau aujourd'hui au Louvre. Il est une pièce essentielle du puzzle que constitue la genèse d'une des plus célèbres compositions du monde, notamment par ses différences avec le tableau final : Napoléon se couronne lui-même au lieu de couronner Joséphine, Madame Mère est absente (c'était bien le cas le 2 décembre 1804) alors qu'elle trône au centre de la toile définitive, etc.

Ailleurs, les étapes marquantes de cette journée légendaires sont évoquées par huit aquarelles de la main même de l'architecte Pierre-François-Léonard Fontaine, qui, avec son compère Charles Percier, fut chargé d'embellir Notre-Dame.
Napoléon est Empereur. Il rétablit la vie de cour. Celle des Tuileries rivalise bientôt avec les magnificences de l'Ancien Régime et écrase celles des autres puissances, avec un luxe dont témoigne l'abondance des cadeaux diplomatiques, tel cet ensemble unique de boîtes de présent ornées de portraits de l'Empereur, miniatures signées Isabey, Augustin ou Saint.

**T.L.**

Manufacture de Sèvres

Vase fuseau *2ème grandeur, fond beau bleu, cartel avec le portrait de l'Empereur en costume du Sacre*

*1812*

*Porcelaine dure, bronze doré*

*H. 54,5 cm*

*Paris, Fondation Napoléon, inv. 1165 (acquisition 2002)*

# Vase fuseau

[n° 41]

Entre 1806 et 1813 la manufacture de Sèvres produit seulement onze vases de forme fuseau ornés d'un portrait de l'Empereur : un à fond bleu pâle, six à fond bleu et quatre à fond vert, certains allant en paire avec un pendant orné du portrait de l'impératrice, Joséphine jusqu'en 1809, puis Marie-Louise jusqu'à la fin de l'Empire. Parmi ces onze vases, huit reproduisent le buste de Napoléon en costume du Sacre d'après le tableau de François Gérard. Notre vase appartient aux derniers exemplaires de la série et présente le décor le plus riche qui ait été réalisé, le corps du vase étant couvert d'un semis d'abeilles. Après être mis au grand feu le 28 janvier 1812, les ornements en mosaïque sont exécutés en février pour 129 F par le doreur Charles-Marie-Christian Durosey (actif de 1802 à 1830), puis la figure est peinte pour 360 F en avril-mai par Jean Gorget (1763-1823 ; actif à Sèvres de 1802 à sa mort) ; les anses et la monture en bronze sont confiées au célèbre Thomire qui reçoit 120 F pour son travail. Le vase entre au magasin de vente le 6 mai 1812 pour un prix de fabrication de 1153 F et un prix de vente de 2000 F. Il est livré au palais des Tuileries le 28 décembre 1812 pour être offert en présent par l'impératrice Marie-Louise à l'occasion des Etrennes de 1813 à la duchesse d'Elchingen, épouse du maréchal Ney, née Aglaé-Louise dite Eglé Auguié (1782-1854).

**B.C.**

**Historique :** *livré par la manufacture de Sèvres le 28 décembre 1812 ; donné par l'impératrice Marie-Louise à la maréchale Ney à l'occasion des Etrennes de 1813 ; vente, Paris, Hôtel Drouot, 24 mai 2002, n°234.*

**Exposition :** *2003, Sao Paulo, n° 038.*

**Archives de la manufacture de Sèvres :** *Vbb 4, Pb 2, Vu 1, Vj' 18 et 19.*

# Pierre-Francois-Léonard Fontaine [n° 42 à 50]

Après la proclamation de l'Empire, le 18 mai 1804, Pierre-François-Léonard Fontaine note dans son Journal le 14 juillet 1804 : *"Tout est changé de face. Le Premier Consul est aujourd'hui le premier souverain de l'Europe. Le titre seul manquait à sa puissance. Il est maintenant reconnu Empereur des Français et le maître absolu de toutes les destinées de la France".* En prévision du sacre et du couronnement de Napoléon, le 2 décembre à Notre-Dame de Paris, Fontaine, architecte officiel du gouvernement depuis 1801 avec son inséparable collègue et ami Charles Percier (1764-1838), est chargé de concevoir les décors provisoires de la cérémonie et des fêtes. Le 19 décembre 1804, véritable consécration, il reçoit seul la charge "d'Architecte du palais des Tuileries, du Louvre et dépendances, des manufactures impériales des tapisseries des Gobelins et des tapis de la Savonnerie, des magasins de marbre et tous les bâtiments situés dans l'enceinte de la Ville de Paris", charge qu'il conservera jusqu'en 1848.

Cette suite d'études à l'aquarelle réalisée par Fontaine servit de modèles pour une série de douze planches gravées au trait publiée en 1807 sous le titre *Description des fêtes qui ont eu lieu pour le couronnement de L.L. M.M. Napoléon, empereur des Français et roi d'Italie et Joséphine son auguste épouse. Recueil de décorations exécutées dans l'église de Notre-Dame de Paris pour la cérémonie du 2 décembre 1804 et pour la fête de la distribution des aigles au champ-de-Mars, d'après les dessins et sous la conduite de Ch. Percier et P.F.L. Fontaine.* L'ouvrage avait été commencé en 1804, aux frais des deux architectes, pour en faire "un sujet de spéculation", mais le retard des graveurs n'avait pas permis qu'il soit prêt au moment des fêtes. En février 1805, le grand maître des Cérémonies, le comte de Ségur, leur annonçait la décision de graver et de publier "tout ce qui a été fait de remarquable à cette époque mémorable", vaste entreprise qui deviendra le célèbre *Livre du Sacre.*

Obtenant l'autorisation de poursuivre leur propre publication, Percier et Fontaine furent sollicités pour produire ce luxueux album relatant les différentes étapes de la cérémonie et présentant une description détaillée des participants et de leurs costumes. Annoncé dès mars 1805, mais achevé à la toute fin de l'Empire, ce monumental ouvrage de 224 pages, imprimé à très peu d'exemplaires, se compose d'un texte dû à Etienne Aignan, auteur dramatique, aide des cérémonies et adjoint de Ségur, et de trente-neuf planches gravées par seize artistes différents : sept scènes de la cérémonie et des fêtes du sacre et trente et une planches de costumes. Réalisé sous l'autorité du comte de Ségur, *le Livre du Sacre* est le fruit d'un travail collectif entre Isabey, qui donna les dessins des scènes et des costumes, Percier ceux des vignettes et des encadrements et Fontaine, les architectures et les perspectives.

Pierre-François-Léonard Fontaine (1762-1853)

Huit études de la cérémonie du Sacre et de la distribution des Aigles

*1804*

*Plume, encre, lavis, aquarelle, crayon sur papier vergé et vélin*

*Paris, Fondation Napoléon, inv. 1150 (acquisition 1997)*

**Historique :**
*collection P.-F.-L. Fontaine ; vente, Paris, Hôtel Drouot, 24 avril 1997, n°160.*

**Bibliographie :**
*Fontaine, 1987, pp.83-105 ; Lentz, 2003.*

[n° 42]
Pierre-François-
Léonard Fontaine
(1762-1853)

Sortie du Palais des Tuileries
*Plume, encre, lavis, aquarelle, crayon sur papier vergé*
*H. 38 ; L. 52,5 cm*
*Paris, Fondation Napoléon, inv. 1150-1 (acquisition 1997)*

**Bibliographie :**
*Lentz, 2003, p. 82 .*

[n°43]
Pierre-François-
Léonard Fontaine
(1762-1853)

L'arrivée à Notre-Dame
*Plume, encre, lavis, aquarelle, crayon sur papier vergé*
*H. 36 ; L. 52 cm*
*Paris, Fondation Napoléon, inv. 1150-2 (acquisition 1997)*

**Bibliographie :**
*Lentz, 2003, pp. 74-75.*

Les aquarelles originales de Fontaine servirent ainsi pour la réalisation des planches gravées du *Recueil de décorations*... de 1807 et pour celles du *Livre du Sacre*. Sont absentes de ce dernier deux études, pourtant gravées et publiées dans le *Recueil de décorations,* qui donnent une idée juste des décors éphémères élevés pour l'occasion. La première est la *Vue de la façade principale de l'Eglise de Notre-Dame et du Portique qui la décorait le jour de la Cérémonie du Couronnement* (n° 48), montrant le porche en bois, carton et stuc, formé d'arcs gothiques plaqués sur la façade, orné des statues de Clovis et de Charlemagne, du nom des trente-six principales villes de l'Empire et des grandes armes de l'Empereur. Des oriflammes flottent au sommet du portique et au niveau des tours de Notre-Dame. La seconde étude non reprise dans *le Livre du Sacre* est *la Rotonde décorée de tapisseries, accueillant les invités lors de leur arrivée à Notre-Dame* (n° 49). Conçue initialement pour la visite du roi d'Etrurie en juin 1801 à Malmaison mais jamais utilisée, cette tente décorée de tapisseries des Gobelins avait été dressée derrière l'église, à l'entrée du Palais Archiépiscopal, afin de permettre l'arrivée des voitures à couvert.

Les autres aquarelles dépeignent les étapes importantes de la cérémonie : le départ du Palais des Tuileries (cat. n° 42), l'arrivée à Notre-Dame (cat. n° 43), les onctions (cat. n° 44), une vue de la nef de Notre-Dame (cat. n° 45), qui sera complétée par le cortège des offrandes dans la gravure finale, et le serment constitutionnel (cat. n° 46) prononcé par Napoléon à la fin de la cérémonie. La scène du couronnement n'apparaît pas dans cette série.

La distribution des Aigles (cat. n° 47), montre l'immense tribune construite le long de la façade de l'Ecole militaire pour la cérémonie du 5 décembre 1804 et le trône de Napoléon, accessible par un escalier de quarante marches, qui occupait le pavillon central en avant duquel se détachaient quatre colonnes surmontées de Victoires.

Le pinceau nerveux de l'architecte allié à la grande fraîcheur de ton de l'aquarelle, le caractère inachevé de l'esquisse pour les personnages et les scènes de foule, donnent de cette journée décisive une vision plus vivante que les versions gravées. Fidèles aux décors et aux architectures de Fontaine, les gravures du *Livre du Sacre* perdront en spontanéité ce qu'elles gagneront en précision.

**K. H.**

[n°44]

## Pierre-François-Léonard Fontaine (1762-1853)

Les Onctions

*Plume, encre, lavis, aquarelle, crayon sur papier vélin*

*H. 35,5 ; L. 52 cm*

*Paris, Fondation Napoléon, inv. 1150-3 (acquisition 1997)*

**Bibliographie :**

*Lentz, 2003, p. 114.*

[n°45]

## Pierre-François-Léonard Fontaine (1762-1853)

Vue de la nef de Notre-Dame (étude pour Les Offrandes)

*Plume, encre, lavis, aquarelle, crayon sur papier vergé*

*H. 37 ; L. 53 cm*

*Paris, Fondation Napoléon, inv. 1150-4 (acquisition 1997)*

[n°46]

## Pierre-François-Léonard Fontaine (1762-1853)

Le Serment

*Plume, encre, lavis, aquarelle, crayon sur papier vergé*

*H. 36 ; L. 52 cm*

*Paris, Fondation Napoléon, inv. 1150-5 (acquisition 1997)*

**Bibliographie :**
*Lentz, 2003, p. 138.*

[n°47]

## Pierre-François-Léonard Fontaine (1762-1853)

Distribution des Aigles au Champ-de-Mars

*Plume, encre, lavis, aquarelle, crayon sur papier vergé*

*H. 36,2 ; L. 52, 8 cm*

*Paris, Fondation Napoléon, inv. 1150-6 (acquisition 1997)*

**Bibliographie :**
*Lentz, 2003, p. 144.*

**Exposition :**
*2003, New Orleans, n°51.*

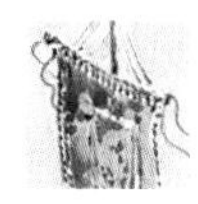

[n°48]

## Pierre-François-Léonard Fontaine (1762-1853)

Vue de la façade principale de l'Eglise de Notre-Dame et du Portique qui la décorait le jour de la Cérémonie du Couronnement

*Plume, encre, lavis, aquarelle, crayon sur papier vergé découpé au niveau des architectures et remonté sur un autre papier vergé*

*Inscription du titre sous la scène*

*H. 31 ; L. 44,2 cm*

*Paris, Fondation Napoléon, inv. 1150-7 (acquisition 1997)*

**Bibliographie :**
*Lentz, 2003, p. 50-51.*

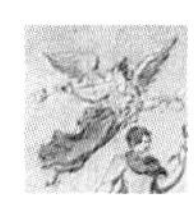

[n°49]

## Pierre-François-Léonard Fontaine (1762-1853)

Rotonde décorée de tapisseries, accueillant les invités lors de leur arrivée à Notre-Dame

*Plume, encre, lavis, aquarelle, crayon sur papier vergé*

*H. 31 ; L. 44,2 cm*

*Paris, Fondation Napoléon, inv. 1150-8 (acquisition 1997)*

**Bibliographie :**
*Lentz, 2003, p. 53.*

# Le Sacre

[n° 50]

Commandé par Napoléon, sans destination précise, dès octobre 1804, *Le Sacre de Napoléon* (musée du Louvre) devait illustrer la cérémonie du 2 décembre suivant à Notre-Dame. Des trois autres tableaux prévus, un seul, *La Distribution des Aigles,* sera réalisé (Versailles). David, le peintre de *La Mort de Marat,* que la réaction thermidorienne avait jeté en prison, était revenu aux sujets antiques avec *Les Sabines,* quand il trouva en Bonaparte le héros moderne que la peinture attendait. Après un portrait inachevé (1797-1798, Louvre) et une évocation équestre du passage du Saint-Bernard (1800, Malmaison), *Le Sacre* ouvrait une voie nouvelle pour l'artiste, qui trouva dans ce sujet "plus de ressources pour la peinture" qu'il ne s'y attendait. Il était d'ailleurs stimulé par le succès de son élève Gros, dont le *Napoléon visitant les pestiférés de Jaffa,* sujet contemporain haut en couleurs, triomphait au Salon de 1804.
"Peinture-portrait", comme il le nommait, *Le Sacre* fut exécuté avec l'assistance de Georges Rouget sur une vaste toile de 6,21 m sur 9,79, plus grande croyait-il (à tort) que *Les Noces de Cana* de Véronèse. Commencé le 21 décembre 1805, dans un atelier installé dans l'église de l'ancien collège de Cluny, place de la Sorbonne, il fut achevé en novembre 1807 et retouché au début de 1808. Exposé seul au Louvre, puis au Salon de 1808, il fut montré encore en 1810 pour le Concours décennal, mais le remariage de l'Empereur cette année-là rendait impossible son installation dans un palais : le tableau le plus célèbre de l'Empire n'aura été vu par le public que pendant six mois au plus...
Signé et daté 1805, ce dessin capital est le plus abouti des trois connus offrant la composition entière, qui tous montrent encore l'Empereur se couronnant lui-même. Le peintre tenait à ce geste hardi, d'ailleurs conforme à la réalité, mais qui donnait de Napoléon une image arrogante et provocatrice : Gérard, portraitiste bien en cour, lui suggéra de modifier sa figure et de montrer l'Empereur couronnant son épouse, ce que David fit sur la toile même. Napoléon, qui vit là "une petite intrigue de Joséphine avec David", devait féliciter le peintre d'avoir fait de lui un "chevalier français." De César, il devenait Bayard...
Ici, on ne voit pas Madame Mère, notoirement absente le jour du sacre, qu'elle désapprouvait : Napoléon exigera qu'elle soit représentée. Le pape, mitre en tête, bénit : David renonça ensuite à ce geste, que Napoléon lui fera rétablir en janvier 1808.
Mais la composition est pratiquement définitive dans le présent dessin ; elle fera peu après l'objet d'une esquisse peinte sur panneau, récemment détectée sous le *Portrait de Pie VII et du cardinal Caprara* du musée de Philadelphie.

**S.L.**

**Historique :** *Vente David, Paris, 17 avril 1826, n° 31 : "Le couronnement de Napoléon,* première idée. Largeur *16 pouces,* hauteur *9 pouces" [H. 25,6 ; L. 43,2 cm], adjugé 1500 F à M. Imbert ; collection particulière ; acquis en juin 1994.*

**Bibliographie :** *David, 1880, t. I, p.660 ; Schnapper, 1989, pp. 406-407, fig. 108, 410, 413 ; Rosenberg et Prat, 2002, t. I p. 212, n°201, repr.* L'Auto-couronnement de Napoléon ; *Lentz, 2003, p.127 fig.118 ; Laveissière, 2004, fig.39.*

**Exposition :** *2003, Sao Paulo, n°35.*

Jacques-Louis David
(1748-1825)

Le Sacre *ou*
Le Couronnement

*1805*

*Plume, encre noire, lavis gris. Montage de Niodot (Lugt 1961 a).*

*Signé à la plume, encre noire, en bas à gauche :* David f. et in. 1805

*H. 25,8 ; L. 40,5 cm*

*Paris, Fondation Napoléon, inv. 291 (acquisition 1994)*

# Napoléon Ier en costume de sacre

[n° 51]

Ayant commencé sa carrière sous l'Ancien Régime avec un portrait de la reine Marie-Antoinette, Marie-Victoire Jaquotot fut l'élève puis l'épouse de l'un des meilleurs peintres de la manufacture de Sèvres, Charles-Etienne Leguay (1762-1846). Elle entra elle-même vers 1800 à la manufacture comme "peintre de figures" et collabora à nombre de productions prestigieuses, copiant notamment sur des plaques de porcelaine les chefs-d'œuvre des grands maîtres, Raphaël en particulier. Elle connut une telle célébrité sous l'Empire et la Restauration qu'elle ouvrit une école de peinture sur porcelaine de 1816 à 1836 et reçut le titre de "peintre sur porcelaine du Cabinet du Roi" décerné par Louis XVIII en 1816, puis celui de "premier peintre de porcelaine du Roi" par Charles X en 1828.
Marie-Victoire Jaquotot affirma avoir peint d'après nature ce portrait de Napoléon en grand costume de sacre. Dans une lettre adressée au baron de Werther en 1838, dans laquelle elle sollicite l'achat de quelques portraits historiques dont celui-ci, Marie-Victoire révèle : *"Le portrait de Napoléon me fut demandé secrètement par lui en 1813 ; il voulait en faire une surprise à l'impératrice Marie-Louise et, disait-il, une médaille vivante à la postérité. Il me donna une heure et demie de séance en deux fois, accompagnée seulement de Regnault de Saint-Jean d'Angély. Les accessoires n'étaient point terminés en 1814"*. En dépit de cette affirmation, il s'agit indéniablement ici d'une copie d'après le portrait de l'Empereur en grand costume de sacre par Anne-Louis Girodet de Roucy-Trioson (1767-1824) exécuté en 1812. Marie-Victoire Jaquotot a copié sur porcelaine les œuvres du peintre à de multiples reprises, entretenant de telles relations amicales avec lui qu'elle souhaita, à la fin de sa vie, reposer à ses côtés au Père Lachaise.

**K.H.**

**Historique :** *vente, Paris, Hôtel Drouot, 14 mai 1984, n°70 (acquis par Martial Lapeyre).*

**Exposition :** *Sao Paulo, 2003, n°34.*

**Bibliographie :** *Lajoix, 1992, p.108 ; Lajoix, 1993, p.57 ; Lentz, 2003, p.136.*

Marie-Victoire Jaquotot (1772-1855)

Napoléon Ier
en costume de sacre

*Peinture sur porcelaine, bronze doré*

*Inscription au revers :* "Napoléon Empereur des Français / d'après nature par Made Victoire Jaquotot / en 1813, et 1814".

*H. 15,5 ; L. 11,5 cm*

*Paris, Fondation Napoléon, inv.654 (donation Lapeyre)*

# Dessin allégorique

|n° 52|

Innocent-Louis Goubaud fut l'élève du portraitiste italien Gaspare Landi. Professeur de dessin à Bourg en 1801, il fut nommé directeur du musée de Marseille en 1804. En 1810, Goubaud obtint un poste de professeur de dessin au lycée Charlemagne à Paris et se fit connaître au Salon de la même année par un tableau, *La députation du Sénat Romain offrant ses hommages à S.M. l'Empereur et Roi,* composition acquise par le gouvernement (dépôt du musée du Louvre au musée du château de Versailles). Au Salon de 1812, quatre œuvres sont de sa main : une scène du baptême et un portrait du Roi de Rome (Goubaud reçut le titre de maître de dessin du Roi de Rome), ainsi que deux portraits du couple impérial, *Dessin allégorique à la gloire de S.M. l'Empereur* (n°423) et *Dessin allégorique représentant S.M. l'Impératrice, et relatif au mariage de cette auguste souveraine* (n°424).

Une lettre datée des Tuileries le 28 février 1813, adressée par le préfet du Palais, le baron de Bausset, à Champagny, duc de Cadore, intendant général de la Couronne, fait état de la présentation successive de ces portraits à l'Empereur, en juin 1811 pour le premier, le 26 mars 1812 pour le second. Napoléon aurait montré une telle satisfaction devant le portrait allégorique le représentant en grand costume de sacre, assis sur un trône posé sur le globe terrestre, que Goubaud reçut une gratification de 6 000 francs et la commande du portrait de Marie-Louise pour faire pendant. Au duc de Cadore qui s'enquérait auprès de lui de la somme à verser pour ce second portrait, Vivant Denon répondit que le prix du premier dessin de M. Goubaud n'étant "qu'une munificence de Sa Majesté ou une bienveillance pour les protecteurs de cet artiste", il ne pouvait servir de base pour l'estimation du second. En effet, Goubaud n'obtint que la moitié, 3 000 francs, somme considérable cependant, pour le portrait de Marie-Louise aujourd'hui conservé au Napoleon museum d'Arenenberg (1972/1).

Si le portrait de l'Empereur ne se distingue pas par ses qualités artistiques - attitude figée, dessin appliqué -, il ne rencontra pas moins l'approbation de Napoléon. Cette satisfaction tint sans doute autant à la vision quasi-divine de l'Empereur en majesté et à l'évocation, sur la partie droite du trône, de son œuvre de législateur, le code Napoléon, qu'à la technique employée, le crayon Conté, une invention de l'ingénieur Nicolas-Jacques Conté (1755-1805), un des savants de l'Expédition d'Egypte, qui, pour répondre à la pénurie de plombagine anglaise, la remplaça en 1795 par un mélange d'argile et de graphite des mines des Alpes.

Après la chute du régime, Goubaud resta fidèle à l'Empereur. Exilé en Angleterre, il fut fiché par la police politique de Louis XVIII comme bonapartiste avéré, et joua même un petit rôle d'agent en 1831 et 1832, dépêché par la reine Hortense et Louis Napoléon auprès de Joseph aux Etats-Unis puis, par ce dernier, auprès du duc de Reichstadt à Vienne.

**K.H.**

**Historique :** *vente, New York, Christie's, 15 janvier 1992, n°124.*

**Exposition :** *Salon de 1812, n°423 ; 2003, Sao Paulo, n° 1.*

**Bibliographie :** *Guiffret, 1908, pp 204-205 ; Guiffret, 1910, pp.21-23 ; Jeannerat, 1936, pp. 230-236 ; Ziesenis, 1960, pp. 25-32 ; Bordes, Pougetoux, 1983, p.28.*

**Gravé par :** *Benoist Jeune dans* Essai d'instructions morales, ou les devoirs envers Dieu, le prince, la patrie, la société et soi même.

**Archives nationales :** *O²180, n° 1136, 1144, 1261 ; O²194, n° 601, 669, 733, 734.*

**Archives des musées nationaux :** **AA5 pp. 135, 332 ; *AA8 p. 288.*

Innocent-Louis Goubaud (1783 - 1847)

Dessin allégorique à la gloire de S.M. l'Empereur

*Crayon noir*

*Inscription :* "J. Goubaud de Rome, professeur de dessin / aux licées Bonaparte et Charlemagne Paris 1811"

*H. 71,1 ; L. 57,5 cm*

*Paris, Fondation Napoléon, inv. 21 (acquisition 1992)*

# Cabaret des chasses impériales

[n° 53]

Le cabaret des chasses impériales fait partie des présents offerts à l'occasion du Jour de l'An de 1813 à la comtesse de Croix qui appartenait à la série des dix nouvelles dames du Palais de l'impératrice Marie-Louise promues en 1812. Il était naturel que l'Empereur marquât cette nomination par un cadeau exceptionnellement somptueux pour les Etrennes de 1813. Elle est née Augustine-Eugénie-Victoire de Vassé (1787-1847) et épouse en 1802 Charles-Lidwine-Marie de Croix (1760-1832) marquis avant la Révolution, fait comte de l'Empire en 1808 et chambellan de l'Empereur en 1810.
Tous les paysages sont l'œuvre de Jean-François Robert (1778-1832), peintre de paysages de la grande-duchesse de Toscane, puis peintre des chasses du duc de Berry. Elève de Demarne, il est attaché à la manufacture de Sèvres en 1806 comme peintre de paysages et de chasses. Les scènes représentées sont : "la chasse à courre dans la forêt de Fontainebleau (plateau)", "Allaly (sic) au buisson de Verrières» et "la Quette (sic) forêt de Compiègne" (théière), "Le déjeuner de chasse près Buq" (pot à lait), "Relais de chevaux" et "Rendez-vous près Buq" (sucrier), "débuché au buisson de Verrières", "Relais de chiens", "Curée dans la plaine de Boulogne" et "Départ de chasse" (sur les quatre tasses). Quelques uns de ces dessins, signés Robert, sont toujours conservés aux archives de la manufacture de Sèvres.
Robert touche la somme importante de 1 100 F pour la peinture des cartels qu'il exécute en septembre 1812. Les attributs, les feuillages, les têtes de cerfs et de chiens sont l'œuvre de Christophe-Ferdinand Caron, actif à Sèvres de 1792 à 1815 ; il réalise ce travail d'octobre à décembre 1812. Le décor en or est confié à François-Antoine Boullemier, dit Boullemier Aîné, doreur à Sèvres de 1806 à 1838 ; il l'exécute en octobre et novembre 1812.
Le décor des culots, des couvercles, des filets, des rosaces et des agrafes est l'œuvre du peintre Charles-Théodore Buteux, à Sèvres de 1786 à 1821. Enfin, le travail de brunissage est réparti entre Mlle Saint-Omer et Mmes Mascret et Troyon. Le cabaret entre au magasin de vente le 28 décembre1812 pour un prix de fabrication de 2172 F et un prix de vente de 3030 F, porté à 3100 F avec le coffret.

**B.C.**

**Historique :** *livré par la manufacture de Sèvres le 28 décembre 1812 ; donné par Napoléon à la comtesse de Croix à l'occasion des Etrennes de 1813 ; vente, Paris, hôtel George V, 21 juin 1993, n° 449.*

**Exposition :** *2003, Sao Paulo, n° 162.*

**Archives de la Manufacture de Sèvres :** *Pb 2, Vbb 4, Vj' 19.*

Manufacture de Sèvres

Cabaret des chasses impériales, *composé d'un plateau ovale 1ère grandeur, de quatre tasses et soucoupes coniques à pied, d'une théière Pestum 1ère grandeur, d'un pot à lait Pestum 1ère grandeur et d'un pot à sucre Pestum à gorge 2ème grandeur, le tout à fond beau bleu orné de cartels représentant des scènes de chasses.*

*1812, signé en bas à gauche* "Robert"

*Porcelaine dure, argent doré, coffret en maroquin vert*

*Coffret : H. 20 ; L. 49 ; Pr. 40 cm*

*Paris, Fondation Napoléon, inv. 93 (acquisition 1993)*

# Assiettes du service écaille

[n° 54]

Manufacture de Sèvres

Deux assiettes
du service écaille

*1802 et 1803*

*Porcelaine dure*

*D. 24 cm*

*Paris, Fondation Napoléon,*
*inv. 1156 a/b (acquisition 1999)*

Le service à dessert dit «fond écaille figures» fut livré le 5 décembre 1804 pour le service de l'Empereur au palais des Tuileries. Il servit vraisemblablement au grand dîner organisé dans la galerie de Diane, le soir à 18 h, après la cérémonie de la distribution des Aigles au Champ-de-Mars. Parmi ce service figuraient soixante-douze assiettes à fond écaille, ornées de figures imitant le bronze ; chacune avait coûté 28 F et était vendue 36 F. Le dessin est très proche des compositions du peintre Charles-Eloi Asselin (1743-1804), nommé chef des peintres en 1800. Chacune des figures peintes sur les assiettes est payée 14 F aux peintres figuristes, la plupart étant confiées à Claude-Charles Gérard (actif de 1771 à 1825) et à Pierre-André Leguay (actif de 1773 à 1817). Les boudins de fleurs sont partagés entre Charles-Théodore Buteux (actif de 1786 à 1821), Jacques-Nicolas Sinsson (actif de 1795 à 1845) et Jean-Dominique Troyon (actif de 1802 à 1817). On connaît une assiette de ce service dans les collections du duc de Wellington et deux autres au musée de Fontainebleau.

**B.C.**

**Historique :** *livré par la manufacture de Sèvres le 5 décembre 1805 pour le service de Napoléon aux Tuileries ; vente, Galerie de Chartres, 21 novembre 1999, n° 26.*
**Exposition :** *2003, Sao Paulo, n° 155.*
**Archives de la Manufacture de Sèvres :** *Vbb 2, Vj' 8 à Vj' 11.*

# Assiette du service Olympique

[n° 55]

Manufacture de Sèvres

Assiette du service
Olympique : Hébé servant
le nectar à Jupiter

*1803 et 1807 (?),*
*signée au dos* "par Lagrange"

*Porcelaine dure*

*D. 23,3 cm*

*Paris, Fondation Napoléon,*
*inv. 1155 (acquisition 1999)*

Le service Olympique tire son nom du mont Olympe dont les Grecs avaient fait la résidence des Dieux, la plupart des sujets représentés sur les assiettes illustrant des scènes de la mythologie. Commencé dès 1803, le service est livré au palais des Tuileries le 21 août 1807 pour servir au banquet de mariage de Jérôme Bonaparte, tout nouveau roi de Westphalie, avec Catherine de Wurtemberg. L'ensemble se monte à la somme considérable de 53 400 F, chacune des assiettes du service valant 360 F. C'est au lendemain de l'entrevue de Tilsit que Napoléon, désireux de s'attacher l'alliance du tsar Alexandre, fait expédier dans neuf grandes caisses les cent quarante pièces du service qui arrivent à Saint-Pétersbourg le 14 février 1808. Envoyé à Moscou en 1832 sur ordre de Nicolas Ier, l'ensemble du service est aujourd'hui exposé au musée des Armures du Kremlin.

Si les soixante-huit assiettes du service sont toujours conservées à Moscou, un certain nombre d'assiettes furent refaites ou bien furent conservées par la manufacture. Ainsi, le musée de Sèvres en conserve-t-il encore quatre dont deux présentent un marli inachevé ; elles avaient été gardées par le directeur Alexandre Brongniart, comme modèle pouvant servir aux artistes. Notre assiette, qui porte le numéro 36, a été peinte par Lagrange fils, actif à Sèvres de 1797 1799 et de 1801 à 1803. On trouve en effet en nivôse an XII (23 décembre 1803-21 janvier 1804) 48 F payés à Lagrange pour une assiette représentant Hébé versant le nectar à Jupiter. Lagrange réalise six assiettes pour ce service, dont quatre qu'il dut refaire. On peut supposer que la date de 1807 figurant au dos de l'assiette correspond à l'achèvement du décor.

**B.C.**

**Historique :** *livré par la manufacture de Sèvres les 21 août et 14 septembre 1807 pour le service de Napoléon aux Tuileries.*

**Exposition :** *2003, Sao Paulo, n° 156.*

**Bibliographie :** *Baca et Gorbatova, 1996, p. 32-41.*

**Archives de la Manufacture de Sèvres :** *Vbb 2, Pb 1, Vj' 10.*

# Paire de plats à cloche

[n° 56]

Jean-Baptiste-Claude Odiot (1763-1850)

Paire de plats à cloche
aux armes de Madame Mère

*Vers 1806*
*Argent doré*

*H. (de la cloche) 18,5 ;*
*D. (du plat) 27,7 cm*
*Paris, Fondation Napoléon,*
*inv. 296 et 569*
*(donation Lapeyre)*

Issu d'une famille d'orfèvres remontant au début du XVIIe siècle, Odiot est le grand rival de Biennais. Il livre des ensembles considérables d'orfèvrerie aux différentes cours d'Europe et aux principaux membres de la famille impériale dont la mère de Napoléon ; le titre officiel que Letizia porte depuis mars 1805 est "Son Altesse Impériale, Madame, mère de Sa Majesté l'Empereur", plus communément abrégé sous le titre de Madame Mère. Odiot lui fournit en 1806 une vaisselle de vermeil aux grandes armes impériales portant le chiffre M pour Madame. L'ensemble comportait près de trois cents pièces et était utilisé lors des réceptions que donnait Madame Mère dans son hôtel de la rue Saint-Dominique. Retirée à Rome après Waterloo, elle serre son vermeil dans quatre grandes caisses abritées dans une des pièces de son palais de la place de Venise.

Lors de l'inventaire dressé le 21 octobre 1834, on retrouve dans la caisse n° 2, huit cloches d'entrées et huit cloches d'entremets auxquelles appartiennent les deux nôtres. A sa mort en 1836, le service est partagé entre ses deux fils, l'ancien roi d'Espagne, Joseph appelé le comte de Survilliers et l'ex-roi de Hollande, Louis, devenu comte de Saint-Leu. Dispersé par de nombreuses ventes au cours du XXe siècle, tant à Paris qu'à Berne, un nombre important de pièces a pu être acquis par le musée de Fontainebleau en 1983.

**B.C.**

**Historique :** *collection de Madame Mère ; vente, Paris, Hôtel Drouot, 28 juin 1984, n° 145 (acquis par Martial Lapeyre).*

**Exposition :** *2003, Sao Paulo, n° 152.*

# Paire de plateaux

[n° 57]

Parmi les grands services réalisés par Odiot figure l'ensemble considérable livré au prince Camille Borghèse (1775-1832) qui avait épousé en 1803 Pauline Bonaparte, la sœur de Napoléon.
Nommé en 1808 gouverneur général des départements au-delà des Alpes, il tient la cour de l'Empereur à Turin et y utilise les mille six cents pièces de son service de vermeil. Le nombre de pièces est si considérable qu'il faut faire appel aux deux orfèvres les plus célèbres de l'époque, Odiot et Biennais. Les dessins en sont généralement attribués à Percier et Fontaine et toutes les pièces sont marquées aux armes des Borghèse : d'azur au dragon ailé d'or ; au chef chargé d'une aigle de sable, bequée, membrée et couronnée d'or. En 1814 à la chute de l'Empire, le prince Borghèse fait transporter toute son argenterie de Turin à Rome où il l'utilise au palais Borghèse. Mort sans enfant, le service passe dans la descendance de son frère, le prince Francesco Borghèse (1776-1839).

Il est dispersé lors de la vente qui se tient au palais Borghèse à Rome, du 28 mars au 9 avril 1892. Vendu alors en plusieurs lots, le service est démembré comme la plupart des grands services du Premier Empire ; il en passe souvent des éléments en vente publique et on en retrouve plusieurs pièces au musée de Fontainebleau ou au Metropolitan Museum of Art de New York.

**B.C.**

**Historique :** *collection de Camille 6^e^ prince Borghèse (1775-1832) ; son frère, Francesco 7^e^ prince Borghèse (1776-1839) ; son fils, Marcantonio 8^e^ prince Borghèse (1814-1886) ; son fils, Paolo 9^e^ prince Borghèse (1845-1920) ; vente des collections Borghèse, Rome, 28 mars-9 avril 1892 ; acquis par Martial Lapeyre en 1983 à Paris.*

**Exposition :** *2003, Sao Paulo, n° 153.*

**Bibliographie :** *Faith, 1960.*

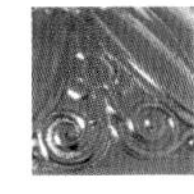

Jean-Baptiste-Claude Odiot (1763-1850)

Paire de plateaux aux armes de la famille Borghèse

*Vers 1805-1810*

*Argent doré*

*H. 20,5 ; D. 32 cm*

*Paris, Fondation Napoléon, inv. 568 (donation Lapeyre)*

# Déjeuner des vues des environs de Sèvres

[n° 58]

Manufacture de Sèvres

Déjeuner des vues des environs de Sèvres *composé d'un plateau ovale 1ère grandeur, de deux tasses et soucoupes Jasmin 1ère grandeur anse en vermeil, d'une théière Asselin anse volute, d'un pot à lait Pestum 1ère grandeur et d'un pot à sucre anses volutes en vermeil, le tout à fond d'or orné de cartels représentant des vues des environs de Sèvres.*

*1813*

*Porcelaine dure, argent doré, coffret en maroquin vert*

*Coffret :*
*H. 20 ; L. 51,5 ; Pr. 41 cm*

*Paris, Fondation Napoléon, inv. 856 (donation Lapeyre)*

Figurant sous le n° 4 dans la liste des déjeuners des travaux de 1813, cet ensemble fait partie des présents offerts par l'Empereur à l'occasion des dernières Etrennes de l'Empire, le 1er janvier 1814. Il l'offrit à sa sœur Caroline reine de Naples qui ne le reçut certainement jamais ; elle résidait alors à Naples qu'elle ne quittera qu'en juin 1815 pour un exil à Trieste, n'ayant pas revu son frère depuis plusieurs années.

Le plateau est peint par Jean-François Robert (1778-1832) auteur du cabaret des chasses impériales (cat.n° 53), tandis que toutes les autres pièces sont l'œuvre de Jean-Baptiste-Gabriel Langlacé (1786-1864), peintre paysagiste à Sèvres de 1806 à 1834, exposant au Salon entre 1817 et 1845. Les scènes représentées sont : "Vue de l'aqueduc de Buc, près de Versailles" avec au premier plan la calèche impériale dans laquelle ont pris place Napoléon et Marie-Louise (plateau), "Palais de Saint-Cloud, côté des Boulingrins" et "Parc de Saint-Cloud, pavillon d'Italie" (théière), "Parc de Saint-Cloud vu des hauteurs de Sèvres" (pot à lait), "Parc de Saint-Cloud vu de Ville-Davray" et "Vue de Sèvres prise du pont" (sucrier), "Vue du village de Bougival" et "château de Meudon vu des bois" (tasses).

En mai et juin 1813, Robert peint le plateau pour 600 F d'après un dessin qui lui est payé 30 F. Langlacé réalise les vues sur les autres pièces entre le 20 août et décembre 1813 pour un total de 660 F. La plupart de ses dessins sont toujours conservés à la manufacture de Sèvres. Le déjeuner entre au magasin de vente le 24 décembre 1813 pour un prix de fabrication de 2 473 F et un prix de vente de 2 770 F porté à 2 895 F avec le coût du coffret. Langlacé réalisa l'année suivante un cabaret semblable montrant d'autres vues des environs de Sèvres et que Louis XVIII offrit au 1er janvier 1815 au duc de Wellington, futur vainqueur de Waterloo (Londres, Victoria and Albert Museum, Apsley House).

**B.C.**

**Historique :** *livré par la manufacture de Sèvres le 24 décembre 1813 ; donné par Napoléon à sa sœur Caroline reine de Naples à l'occasion des Etrennes de 1814 ; vente, Paris, 4 décembre 1971, n° 94 ; vente, Monte-Carlo, 11 novembre 1984, n° 54 (acquis par Martial Lapeyre).*

**Expositions :** *1993, Tokyo, n° 200 ; 2003, Sao Paulo, n° 163.*

**Archives de la Manufacture de Sèvres :** *Vbb 5, Vv 1, Pb 3, Vj' 20.*

[n° 59]

## Martin-Guillaume Biennais (1764-1843)

Clef de chambellan au monogramme de Joseph Napoléon, roi d'Espagne er des Indes

*Argent doré, nœud en lin vert et jaune avec fils d'argent, glands en fils d'or et d'argent*

*H.16, 5 cm*

*Paris, Fondation Napoléon, in. 1125 (donation Lapeyre)*

**Historique :**
*collection Jacques Reubell ; collection Martial Lapeyre.*

**Expositions :**
*1993, Tokyo, n°183 ; 2003, New Orleans, n°58.*

**Bibliographie :**
Le Monde illustré, *23 avril 1921, p.306.*

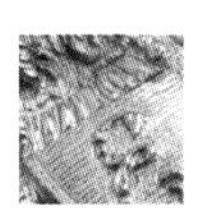

[n° 62]

## Clef de chambellan au chiffre du prince Eugène, vice-roi d'Italie

*Bronze doré*

*H.16,5 cm*

*Paris, Fondation Napoléon, in. 1120 (donation Lapeyre)*

**Historique :**
*collection Jacques Reubell ; collection Martial Lapeyre.*

**Exposition :**
*2003, Sao Paulo, n°41.*

[n° 61]

## Clef de chambellan au chiffre de Napoléon Ier

*Bronze doré, noeud en ruban vert galonné de fils d'or*

*H.17 cm*

*Paris, Fondation Napoléon, in. 1143 (donation Lapeyre)*

**Historique :**
*collection Jacques Reubell ; collection Martial Lapeyre.*

**Exposition :**
*2003, Sao Paulo, n°39.*

# Clefs de chambellan

[n° 59 à 63]

Institution équivalente à la Maison du Roi, la Maison de l'Empereur fut créée après la proclamation de l'Empire qui rétablit la cour et l'étiquette. Parmi les six grands officiers de la Couronne qui la composaient avec l'ensemble des personnes à leur service, le grand chambellan apparaît comme un personnage déterminant. Ses fonctions, pour lesquelles il était assisté par de nombreux autres chambellans, consistaient à présider aux levers et aux couchers de l'Empereur, à réglementer l'entrée de ses appartements, à l'accompagner dans ses déplacements, à diriger les festivités au palais et à animer la vie à la cour impériale. Le plus célèbre fut Talleyrand qui exerça la fonction du début de l'Empire jusqu'au 28 janvier 1809. L'Impératrice, mais aussi les princes et princesses ainsi que les souverains des autres royaumes de l'Empire, eurent leurs propres Maisons et disposaient donc de chambellans. Le palais des Tuileries en comptera jusqu'à soixante-cinq. Ils portaient un habit écarlate à broderies d'argent, acquis à leurs frais, sur lequel ils arboraient l'insigne de leur fonction, une clef accrochée sur la poche droite. Celle-ci, qui leur était offerte, se compose d'un anneau ovale formé d'une guirlande de feuilles de chêne et de laurier enrubannée, surmontée d'une couronne et contenant l'aigle aux ailes éployées avec, à la base, un écusson portant le chiffre ou monogramme du souverain.

**K.H.**

**Bibliographie :** *Maze-Censier, 1893, pp. 73-75 ; Zieseniss, 1978.*

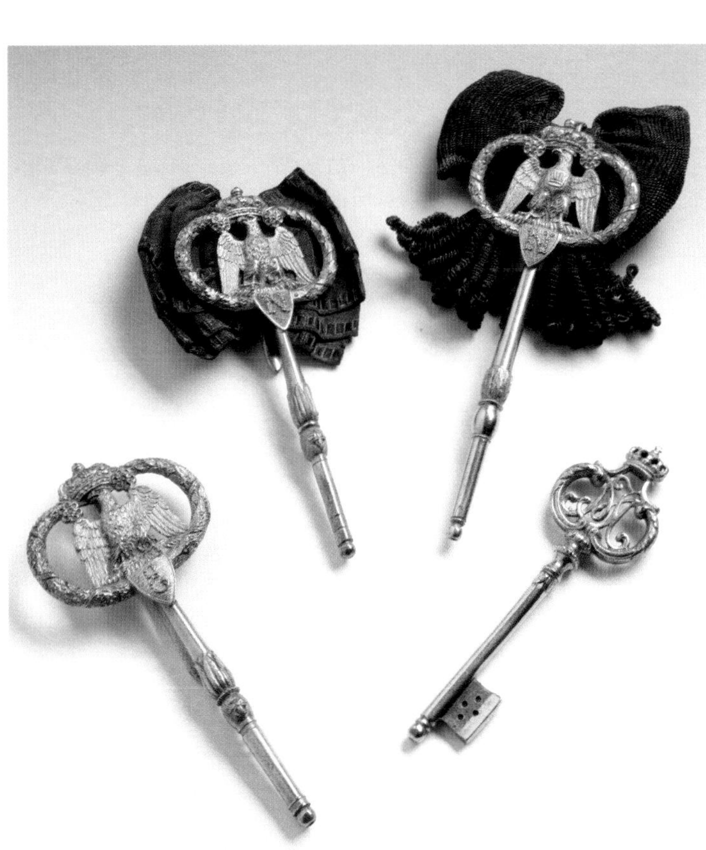

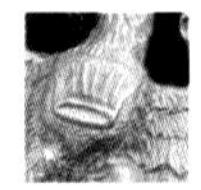

[n° 60]

Clef de chambellan au chiffre de Napoléon, roi d'Italie

*Bronze doré, noeud en lin vert et jaune et fils d'or et d'argent*

*H.19,2 cm*

*Paris, Fondation Napoléon, in. 1119 (donation Lapeyre)*

**Historique :** *collection Jacques Reubell ; collection Martial Lapeyre*

**Exposition :** *2003, Sao Paulo, n°40.*

**Bibliographie :** Le Monde illustré, *23 avril 1921, p.306.*

[n° 63]

Clef de chambellan au monogramme de Joachim Murat

*Bronze doré*

*H.15 cm*

*Paris, Fondation Napoléon, in. 1144 (donation Lapeyre)*

**Historique :** *collection Martial Lapeyre.*

**Exposition :** *2003, Sao Paulo, n°42.*

[n° 65] *[non reproduit]*
Jean-Baptiste Isabey (1767-1855)

Portrait de Napoléon

*Miniature sur ivoire signée à droite* Isabey *montée sur une boîte signée* Hollander et Fils, Jouaillers de Sa Majesté la Reine de Hollande à Amsterdam n°257

*Poinçon de l'orfèvre Etienne-Lucien Blerzy (actif entre 1798 et 1820)*

*Or, émail*

*H. 1,7 cm ; L. 7,3 cm ; L. 5,2 cm*

*Paris, Fondation Napoléon, inv. 1099 (donation Lapeyre)*

**Historique :**
*vente, Paris, Hôtel Drouot, 10 mai 1967, n° 89 (acquis par Martial Lapeyre).*

**Exposition :**
*2003, Sao Paulo, n°45.*

[n° 67]
Jean-Baptiste-Jacques Augustin (1759-1832),

Portrait de Napoléon

*Miniature sur ivoire montée sur une boîte,*

*Or, émail*

*H. 2, 1 ; L.9 ; L. 6,5 cm*

*Paris, Fondation Napoléon, inv. 627 (donation Lapeyre)*

**Historique :**
*cadeau de Napoléon à l'évêque de Nantes, Jean-Baptiste Duvoisin (1744-1813) ; sa sœur Mme Jacquinot ; vente, Paris, Hôtel Drouot, 16 mai 1962 ; vente, Paris, Hôtel Drouot, 18 juin 1975, n°67 (acquis par Martial Lapeyre).*

# Les boîtes de présent

[n° 64 à 73]

**H**éritée de l'Ancien Régime, la pratique du présent diplomatique fut remise en vigueur par Napoléon dès le Consulat. Un arrêté du 7 Thermidor an VIII (26 juillet 1800), signé Bonaparte Premier Consul, stipule que *"le présent d'usage du gouvernement français aux ministres étrangers sera une boîte d'or, portant le chiffre R.F, enrichi de diamants. En conséquence, il sera fait des boîtes de différentes valeurs et en raison du titre des agents auxquelles elles seront destinées. Celles pour les ambassadeurs seront du prix de 15 000 F - Celles pour les ministres plénipotentiaires, de 8 000 F - Celles pour les chargés d'affaires, de 5 000 fr".*

Après le Sacre, les commandes se firent plus nombreuses afin de satisfaire la demande croissante de cadeaux officiels. Désignées le plus souvent par l'appellation de tabatières, ces boîtes correspondaient, par leur richesse, la présence d'un portrait miniature de l'Empereur ou de son chiffre en brillants, à la qualité du récipiendaire et à la valeur du service récompensé. Certaines, destinées à des signataires d'actes importants, dépassaient la somme phénoménale de 30 000 F. Les commandes étaient sans cesse renouvelées. En 1806, le joaillier Marguerite reçut par exemple une commande de cent tabatières d'or serties de brillants de différents prix, dont un quart avec portrait, pour un budget de 380 688 F. En 1807, c'est avec Nitot, l'autre grand joaillier de l'Empire, qu'il partagea une nouvelle commande de cent boîtes.

Jean-Baptiste-Jacques Augustin possédait avec Jean-Baptiste Isabey le privilège quasi exclusif de l'exécution des portraits miniatures de l'Empereur destinés à être enchâssés sur le couvercle des boîtes de présent. Le portrait était payé 500 F pièce puis 600 F à la suite de réclamations d'Isabey en 1808. Pour répondre aux nombreuses commandes, Isabey comme Augustin faisaient travailler leur atelier, se réservant le soin d'exécuter les visages ou se contentant de signer un portrait déjà achevé par leurs élèves. Les plus doués, Aubry, Guérin, Jacques, Muneret ou Saint, finirent par travailler pour leur propre compte et signèrent de leurs noms.

Napoléon, qui préférait être représenté en uniforme militaire plutôt qu'en costume de sacre, exprima en 1807 un fort mécontentement au sujet des derniers portraits sortis de l'atelier d'Isabey, réaction assez révélatrice de la production répétitive de ce dernier.

**K.H.**

**Bibliographie :** *Maze-Censier, 1893, pp. 141-183, 185-211.*

[n° 66]

## Jean-Baptiste Isabey (1767-1855)

Portrait de Napoléon
en costume de sacre

*Miniature sur ivoire signée au milieu à droite* Isabey *montée sur une boîte*

*Poinçon de l'orfèvre Jacques-Félix Viennot (actif entre 1785 et 1812). Or*

*H.2,2 ; L.9, 8 ; L. 6, 5 cm*

*Paris, Fondation Napoléon, inv. 1096 (donation Lapeyre)*

**Historique :**
*vente, Paris, Palais d'Orsay, 15 février 1978, n°6 (acquis par Martial Lapeyre).*

**Expositions :**
*1993, Tokyo, n°181 ; 2003, New Orleans, n°99.*

[n° 64]

## Jean-Baptiste Isabey (1767-1855)

Portrait de Napoléon

*Miniature sur ivoire signée* Isabey *montée sur une boîte signée* Gibert successeur de Lempereur à Paris

*Poinçon de l'orfèvre Adrien-Jean-Maximilien Vachette (actif entre 1779 et 1839)*

*Or, émail. H. 2,4 ; L. 9,2 ; L. 6 cm*

*Paris, Fondation Napoléon, inv. 1055 (donation Lapeyre)*

**Historique :**
*vente, Paris, Hôtel Drouot, 16 février 1981, sans n° (acquis par Martial Lapeyre).*

**Expositions :** *1993, Paris, n°53 ; 2003, Sao Paulo, n°44.*

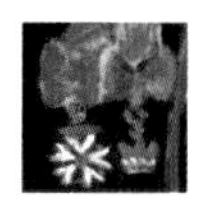

[n° 68]

## Jean-Baptiste-Jacques Augustin (1759-1832)

Portrait de Napoléon

*Miniature sur ivoire signée à gauche* Augustin *montée sur une boîte signée* Marguerite joaillier de la couronne de leurs Maj^tés Imp^les et Royl^es n° 66

*Poinçon de l'orfèvre Etienne-Lucien Blerzy (actif entre 1798 et 1820),*

*Or, émail. H. 1,9 ; L. 6 ; L. 8,6 cm*

*Paris, Fondation Napoléon, inv. 1100 (donation Lapeyre)*

**Historique :**
*vente, Paris, Hôtel Drouot, 18 juin 1970, n° 67 (acquis par Martial Lapeyre).*

**Expositions :**
*1993, Tokyo, n°182-3 ; 1993, Paris, n°78 ; 2003, Sao Paulo, n°46.*

[n° 70]

## Daniel Saint (1778-1847)

Portrait de Napoléon

*Miniature sur ivoire signée à gauche* Saint *montée sur une boîte*

*Poinçon de l'orfèvre Pierre-André Montauban (actif entre 1800 et 1820)*

*Or, émail*

*H. 2,1 ; L. 9,5 ; L.. 5,8 cm*
*Paris, Fondation Napoléon, inv. 629 (donation Lapeyre)*

**Historique :**
*vente, Paris, Hôtel Drouot, 17 mai 1976, n°65 (acquis par Martial Lapeyre).*

**Exposition :**
*2003, Sao Paulo, n°48.*

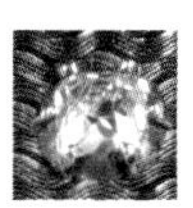

[n° 69]

## Jean-Baptiste-Jacques Augustin (1759-1832)

Portrait de Napoléon

*Miniature sur ivoire signée à gauche* Augustin *montée sur une boîte*

*Or, diamants*

*H. 2 ; L. 8,5 ; L. 6 cm*

*Paris, Fondation Napoléon, inv. 1101 (donation Lapeyre)*

**Historique :**
*vente, Paris, Hôtel Drouot, 7 décembre 1971, n°93. (acquis par Martial Lapeyre).*

**Exposition :**
*2003, Sao Paulo, n° 47.*

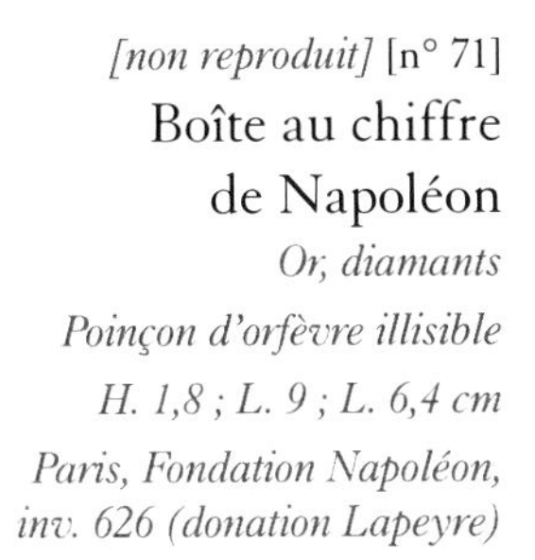

*[non reproduit]* [n° 71]

Boîte au chiffre de Napoléon

*Or, diamants*

*Poinçon d'orfèvre illisible*

*H. 1,8 ; L. 9 ; L. 6,4 cm*

*Paris, Fondation Napoléon, inv. 626 (donation Lapeyre)*

**Historique :**

*cadeau de Napoléon au baron de Linder le 12 octobre 1808 ; vente, Paris, Hôtel Drouot, 9 mars 1970, n°161 (acquis par Martial Lapeyre).*

**Exposition :**

*2003, Sao Paulo, n° 51.*

[n° 72]

Boîte au chiffre N couronné

*Poinçon de l'orfèvre Victoire Boizot (actif entre 1808 et 1813)*

*Or, diamants, émail*

*H. 2 ; L. 7,7 ; L. 5,6 cm*

*Paris, Fondation Napoléon, inv. 1097 (donation Lapeyre)*

**Historique :**

*vente, Paris, Hôtel Drouot, 14 mars 1977, n°44 (acquis par Martial Lapeyre).*

**Expositions :**

*1993, Memphis, n°167 ; 2003, Sao Paulo, n°52.*

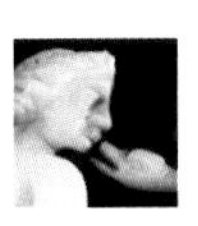

[n° 73]

Boîte avec camée "Léda au cygne"

*Poinçons étrangers non identifiés*

*Or, diamants, agate*

*H. 2 ; L. 8,7 ; L. 5,8 cm*

*Paris, Fondation Napoléon, inv. 1063 (donation Lapeyre)*

**Historique :**

*cadeau de Napoléon à la comtesse Louise de Broël Plater en 1810 ; vente, Paris, Hôtel Drouot, 18 décembre 1969, n°81 (acquis par Martial Lapeyre).*

**Exposition :**

*2003, New Orleans, n°100.*

Une feuille manuscrite jointe à la boîte désigne le récipiendaire du présent : *La tabatière en or avec un camée (Léda avec cigne) (sic), fut un cadeau de Napoléon Ier, offert à ma tante Cesse Louise de Broël Plater en l'année 1810. Cesse Broël Plater, née Cesse Potocka / Wisniowice 14 janvier 1824.*

# Paire de chaises

[n° 74]

Pierre-Benoît Marcion
(1769-1840)

Paire de chaises

*1808*

*Hêtre doré, velours de soie vert, galon d'or ; estampille* "P. MARCION"

*H. 95 ; l. 49 ; P. 46 cm*

*Paris, Fondation Napoléon, inv. 1154 (acquisition 1999)*

Caractéristiques du mobilier de la seconde moitié du règne, ces chaises présentent un dossier droit et non plus à crosse et des pieds en forme de double balustre. Selon l'étiquette du palais impérial, édictée en 1806, et après le blocus continental qui limite l'emploi de l'acajou, elles sont en hêtre doré. Elles font partie d'un ensemble mobilier exécuté par Marcion et livré par le tapissier Andry comportant quatre fauteuils, quatre chaises, un tabouret de pied, un écran et un canapé, le tout livré en 1808 pour le cabinet de travail de l'Empereur au palais des Tuileries. Cette petite pièce à une seule fenêtre était située au premier étage et avait été l'ancien cabinet de la reine Marie-Thérèse, épouse de Louis XIV, avant de devenir celui du Dauphin, fils de Louis XVI. Dès le Consulat, Napoléon en fit son cabinet de travail dont il ordonna le renouvellement d'une partie du mobilier en 1808. Le roi Louis XVIII conserva les sièges et les chaises quittèrent le garde-meuble à l'occasion d'une des nombreuses ventes organisées par les Domaines.

**B.C.**

**Historique :** *livrées en 1808 pour le cabinet de travail de l'Empereur aux Tuileries ; cabinet de travail de Louis XVIII aux Tuileries ; vente, Paris, Espace Tajan, 22 juin 1999, n° 50.*

**Exposition :** *2003, Sao Paulo, n° 126.*

**Bibliographie :** *Ledoux-Lebard, 2000, p. 30, pp.460-467.*

# Louis XVIII

|n° 75|

Cette toile qui provient de la collection du peintre (vente de son atelier du 27 au 29 avril 1837), est la réduction du grand tableau exposé au Salon de 1824 et offert par Louis XVIII à la comtesse du Cayla pour son château de Saint-Ouen (aujourd'hui au château d'Haroué, en Lorraine). Elle présente l'intérêt de montrer deux des quatre chaises commandées en 1808 par Napoléon pour son cabinet de travail des Tuileries. A quelques rares exceptions près le roi avait conservé le mobilier de l'Empereur, seule une modeste table en noyer ayant remplacé le somptueux bureau mécanique en acajou livré pour le Premier Consul (aujourd'hui au musée de Malmaison).

**B.C.**

**Historique :** *collection du peintre François Gérard ; sa vente après décès, Paris, 27 au 29 avril 1837 ; acquis par le roi Louis-Philippe pour les galeries historiques de Versailles.*

**Exposition :** *1962, New-York, n° 42 ; 1963, Nantes, n° 228 ; 1983, Paris ; 1991, Paris, n° 11.*

**Bibliographie :** *Paillet, 1837, n° 26 ; Lenormant, 1846, p. 184 ; Peraté, 1909-1910, p. 13 ; Constans, 1995, p. 377.*

François Gérard
(1770-1837)

Louis XVIII dans
son cabinet de travail
au château des Tuileries

*Vers 1823*

*Huile sur toile*

*H. 40 ; L. 44 cm*

*Versailles, musée national des châteaux de Versailles et de Trianon, inv. 4927*

famille impériale

# La famille impériale

Figure de proue de l'élégance de cette fin du XVIIIe et du début du XIXe siècle, l'impératrice Joséphine est au centre des modes de son temps dont elle orchestre les tendances en femme de goût. Il était bien normal de lui rendre ici hommage. Mettant en valeur l'extrême raffinement de la première impératrice, l'exposition dévoile ainsi quelques chefs-d'œuvre d'ébénisterie et d'orfèvrerie, de porcelaine et de joaillerie. Le serre-papiers dans lequel elle aimait à conserver ses lettres et ses papiers personnels, un service à thé et café ou une admirable jatte à punch, trois œuvres signées Biennais.

Exceptionnelles encore, les dix pièces d'un cabaret égyptien - qui en comportait à l'origine vingt-quatre - qu'on croyait disparu, livré à Joséphine sur ordre de Napoléon le 31 octobre 1811, ornées d'un décor de hiéroglyphes en or et de vues d'Egypte d'après les gravures du fameux *Voyage dans la Basse et Haute Égypte* de Dominique Vivant Denon.

Ailleurs enfin, en dessins, miniatures, boîtes de présent, objets personnels, la famille impériale et la seconde impératrice Marie-louise sont brillamment évoqués.

**T.L.**

# Portrait de l'impératrice Joséphine

[n° 76]

Frappé par la qualité expressive de cette œuvre, Fréderic Masson la considéra dès son acquisition comme un chef-d'œuvre de Gérard, mais bien que publiée, son identification fut oubliée et elle était encore inventoriée récemment dans les collections de la fondation Dosne-Thiers comme portrait de Pauline Bonaparte. Il n'y a pourtant aucune hésitation à avoir et l'on reconnaît aisément les traits de Joséphine. Le tableau reprend d'ailleurs le portrait de l'Impératrice dans la grande composition du *Mariage du Prince Jérôme Bonaparte et de la Princesse Frédérique-Catherine de Wurtemberg,* aujourd'hui conservée au musée national du château de Versailles.
Il est pourtant difficile de se prononcer sur son véritable état, esquisse ou réplique. On peut simplement constater qu'il existe de nombreuses différences avec la composition définitive, en particulier les bijoux et la finition de la robe de l'Impératrice. Le fait que son visage soit également plus expressif a laissé penser que l'œuvre avait été réalisée à Malmaison, en suite d'une séance de pose.

Dûment documentée, il était enfin aisé de rendre à cette peinture son véritable auteur, non le peintre favori de Napoléon et de Frédéric Masson mais Jean-Baptiste Régnault, un artiste moins connu que David ou Gérard, mais à coup sûr d'une ampleur équivalente.

**N.S.F.G.**

**Historique :** *ancienne collection Masson, léguée à la fondation Dosne-Thiers.*

**Exposition :** *1993, Memphis, n° 140, fig. 143.*

**Bibliographie :** *Masson, 1898.*

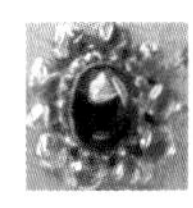

Jean-Baptiste Regnault
(1754-1829)

Portrait de l'impératrice
Joséphine
*Vers 1810*
*Huile sur toile*
*H. 59, 4 ; L. 46, 8 cm*
*Paris, Fondation Dosne-Thiers (Institut de France), inv.0048/T.186*

# Serre-papiers

[n° 77]

Maître tabletier avant la Révolution, Biennais développe cette activité sous le Consulat et l'Empire, fournissant nombre de tables à jeux, tables de lit, nécessaires ou écritoires. On connaît plusieurs serre-papiers de ce type en forme de bouclier antique, destinés à serrer la correspondance, et dont l'entrée de serrure est dissimulée par un médaillon portant ici les armes de l'Impératrice. On en signale deux dans le boudoir de l'impératrice Joséphine au premier étage du château de Malmaison au moment de sa mort en 1814 : "501 Item....deux coffres à papiers aussi en bois d'acajou et racine avec ornements de cuivre doré.... Ci 520". Les enfants de Joséphine en reçurent alors chacun un en héritage : le plus simple, en acajou, passa à la reine Hortense pour son château d'Arenenberg en Suisse, puis à son fils Napoléon III et ensuite à l'impératrice Eugénie qui en fit don au musée de Malmaison en 1906 où il a repris sa place dans le boudoir ; le second, en bois de racine, fut envoyé au palais Leuchtenberg de Munich où résidait le prince Eugène ; le 26 mars 1818, l'intendant du prince, Soulange-Bodin, écrivait depuis Paris : "J'ai l'honneur d'informer Votre Altesse Royale que j'ai fait expédier ces jours derniers, à Munich, cinq caisses contenant divers objets d'art provenant de Malmaison, savoir... une tirelire, ou coffre à lettres, richement orné de bronzes, ayant servi à l'Impératrice". A la mort d'Eugène en 1824, le meuble passa à son fils, Maximilien duc de Leuchtenberg (1817-1852) époux de la fille du tsar Nicolas I^er^, Maria Nicolaievna (1819-1876). Cette dernière en fit don au précepteur de ses fils mineurs, et le serre-papiers resta dans la descendance de ce dernier jusqu'à sa vente en 1991. Un modèle tout à fait identique fut livré pour le service de l'impératrice Marie-Louise le 16 août 1810 au prix exorbitant de 4 800 F.

**B.C.**

**Historique :** *livré à l'impératrice Joséphine ; son boudoir du château de Malmaison jusqu'en 1814 ; envoyé de Malmaison à Munich en mars 1818 pour meubler le palais de son fils, le prince Eugène (†1824) ; passe au fils d'Eugène, Maximilien duc de Leuchtenberg (†1852) ; sa veuve, Maria Nicolaievna (†1876) le donne dans les années 1860 au précepteur de ses fils ; resté dans sa descendance jusqu'en 1991 ; vente, Zurich, Hôtel Baur au Lac, 5 juin 1991, n° 328 ; acquis à Paris en 1991.*

**Expositions :** *1993, Memphis, n°99 ; 2003, Sao Paulo, n° 130*

**Bibliographie :** *Ledoux-Lebard, 2000, p. 84, 85.*

Martin-Guillaume Biennais (1764-1843)

Serre-papiers de l'impératrice Joséphine

*Vers 1805-1810 ; signé sur la serrure* "BIENNAIS orfèvre de LL. MM. Impériales et Royales"

*Bois de racine, ébène, bronze doré*

*H. 58 ; l. 52,5 ; P. 45,5 cm*

*Paris, Fondation Napoléon, inv. 50 (acquisition 1991)*

# Bol à punch

[n° 78]

Le mot punch vient du persan qui signifie cinq, car il désigne une boisson composée de cinq éléments, du thé, du sucre, de l'eau-de-vie ou du rhum, de la cannelle et du citron. Contenu dans un bol qui peut être d'orfèvrerie ou de porcelaine, il est servi dans des tasses à thé à l'aide de cuillers spéciales. Tout grand service d'argent ou de vermeil se devait de comporter un bol à punch et celui de l'impératrice Joséphine, accompagné de ses trois cuillers, était conservé à Malmaison dans une pièce située sous la bibliothèque avec le reste de l'orfèvrerie. A la mort de l'Impératrice, une des trois cuillers échut au prince Eugène, tandis que les deux autres et le bol firent partie du lot de la reine Hortense. On retrouve le bol dans la chambre à coucher de la reine dans sa maison de Constance où elle réside au début de son exil ; sa présence dans une chambre à coucher n'est pas incongrue, il était en effet d'usage de prendre un peu de punch quelques instants avant de se coucher, ce qui procurait un sommeil doux et tranquille. En septembre 1827, le bol à punch est envoyé en Italie au moment où Hortense loue un appartement au premier étage du palais Ruspoli. On perd ensuite sa trace jusqu'à sa réapparition en vente publique. D'autres bols à punch semblables ont été livrés par Biennais, entre autres pour le thé de l'Empereur (Edimbourg, Royal Scottish Museum) et pour le service du grand-duc Nicolas Pavlovitch, futur tsar Nicolas Ier (Vente, Berne, 21 novembre 1975).

**B.C.**

**Historique :** *collection de l'impératrice Joséphine, puis la reine Hortense à partir de 1814 ; vente, Paris, Hôtel Drouot, 25 juin 1981, n° 136 (acquis par Martial Lapeyre).*

**Exposition :** *2003, Sao Paulo, n° 149.*

Martin-Guillaume Biennais (1764-1843)

Bol à punch aux armes de l'impératrice Joséphine

*Vers 1805-1810*

*Argent doré ; signé sur le socle* "BIENNAIS ORF.re de L.L. M.M. IMPERIALES ET ROYALES A PARIS"

*H. 25,5 ; D. 32 cm*

*Paris, Fondation Napoléon, inv. 567 (donation Lapeyre)*

# Service à thé et à café

[n° 79]

## Martin-Guillaume Biennais (1764-1843)

Service à thé et à café aux armes de l'impératrice Joséphine

*Vers 1805-1809*

*Argent doré, ébène, acajou, thuya*

*Théière : H. 11 ; L. 22 cm*

*Cafetière : H. 18,7 ; l. 15,5 cm*

*Confiturier : H. 14 ; l. 13 cm*

*Pot à lait : H. 19,2 ; l. 10,5 cm*

*Pot à sucre : H. 13 ; l. 14,5 cm*

*Tasse H. 8,9 cm*

*Soucoupe : D. 12 ; L. 10,5 cm*

*Plateau : D. 44,3 cm*

*Paris, Fondation Napoléon, inv. 966 (donation Lapeyre)*

Cet exceptionnel service, qui semble être parvenu complet jusqu'à nous, porte les grandes armes de l'impératrice Joséphine, ce qui en situe la fabrication entre le Sacre (1804) et le divorce (1809) ; une aigle, animal héraldique de l'Empire, sert d'ailleurs de prise au couvercle de deux des pièces. Si le décor est moins riche que sur le grand service à thé en vermeil que lui livra également Biennais en 1802 (collection particulière), il présente la qualité habituelle des oeuvres de cet orfèvre. La présence d'une seule tasse accompagnée d'une théière et d'une cafetière laisse supposer que cet ensemble était réservé à l'usage personnel de l'Impératrice. On pourrait le reconnaître sous le numéro 349 de l'inventaire dressé après le décès de l'Impératrice à Malmaison ; figure en effet sous ce numéro dans son cabinet de toilette "un déjeuner complet dans son étui garni de toutes ses pièces en vermeil, prisé deux mille cinq cents francs". En 1814 l'argenterie de Malmaison fut partagée entre les deux enfants de l'impératrice Joséphine ; si l'on sait que le grand service à thé passa au prince Eugène, les archives conservées ne permettent pas d'affirmer que cet ensemble échut à la reine Hortense.

**B.C.**

**Historique :** *collection de l'impératrice Joséphine, peut-être échu à la reine Hortense en 1814 ; Neuilly, collection David David-Weill (1871-1952) ; sa veuve, née Flora Raphaël (1878-1971) ; acquis par Martial Lapeyre à Paris en 1984.*

**Exposition :** *1929, Paris, n° 10 ; 1938, New York ; 1969, Paris, n° 292 ; 1993, Tokyo, n° 175; 2003, New Orleans, n° 89.*

**Bibliographie :** *Faith, 1960 ; Grandjean, 1962, p. 155, pl. IX ; Grandjean, 1964, p. 78, note 349.*

# Partie de cabaret à thé égyptien

[n° 80]

Le 7 janvier 1810, soit seulement trois semaines après le divorce, Napoléon écrit à Joséphine depuis le palais des Tuileries : *"J'ai ordonné que l'on te fasse un très beau service de porcelaine. L'on prendra tes ordres pour qu'il soit très beau"*. Avec ce crédit de 30 000 F, l'impératrice divorcée ordonne aussitôt la réédition du service égyptien que l'Empereur avait envoyé au tsar comme cadeau diplomatique et qu'elle avait beaucoup apprécié (aujourd'hui à Moscou, musée de céramique de Kuskowo). Avant que ce nouveau service lui soit livré, et que d'ailleurs elle renverra à la manufacture le trouvant trop sévère (aujourd'hui à Londres, Apsley House), elle se fait livrer le cabaret qui l'accompagne à l'automne 1811. Entre 1808 et 1813, Sèvres ne réalise pas moins de sept cabarets égyptiens dont deux vont à l'Impératrice ; le premier lui est offert par l'Empereur le 29 décembre 1808 à l'occasion des Etrennes de 1809 pour 1 672 F (cabaret n° 2, aujourd'hui au musée de Malmaison), et le second lui est livré le 31 octobre 1811 pour 1 984 F (cabaret n° 4, Fondation Napoléon). Il comportait à l'origine dix-huit tasses à thé et soucoupes forme étrusque Denon (1 296 F), un sucrier égyptien trépied (180 F), un pot à sucre étrusque cannelé (80 F), une théière étrusque Denon (150 F), un bol ou jatte égyptienne (150 F), un pot à crème tréflé (48 F) et un pot à lait étrusque à bec (80 F) ; seule la théière et la moitié des tasses et des soucoupes ont été retrouvées à ce jour. La plupart reprenaient les formes des vases grecs que Denon lui-même avaient vendus au Roi en 1785 afin de former les artistes de la manufacture au goût antique, ce qui explique le nom de Denon que portent plusieurs pièces. Les scènes représentées sont "Vue d'Edfou du Nord au Sud" et "Sépultures arabes à Zaoye" sur la théière, et sur les neuf tasses, "Calis ou Canal qui conduit l'Eau au Caire", "Vue d'Alexandrie", "Tombeau des Mahometans", "vue de Bénécê", "Vue de basse Egypte", Antinoé Vu du Nil", "Vue de la basse Egypte", "Village de Nagadi dans le désert" et "Pyramides de Ssakarah". Toutes ces vues reprennent les gravures de l'ouvrage de Vivant Denon, *Voyage dans la Basse et la Haute Egypte* paru en 1802.

Les paysages sont peints de mai à juillet 1810 par Nicolas-Antoine Lebel, actif de 1804 à 1845, tandis que la dorure, le décor et le brunissage à l'effet sont exécutés entre juillet et octobre par l'ornemaniste Pierre-Louis Micaud, actif de 1794 à 1834 ; la plupart des tasses portent la date du 27 août et la théière celle du 27 septembre. Le cabaret entre au magasin de vente le 5 décembre 1810 pour un prix de vente de 1 984 F.

**B.C.**

**Historique :** *entré à la manufacture de Sèvres le 5 décembre 1810 ; livré à l'impératrice Joséphine le 31 octobre 1811 ; tasse "Calis ou Canal qui conduit l'Eau au Caire" et sa soucoupe acquises par Martial Lapeyre en 1979 à Paris ; autres pièces du cabaret acquises en 2003 à Paris.*

**Exposition :** *2003, Sao Paulo, n° 67.*

**Archives de la manufacture de Sèvres :** *Pb 2, Vy 20, Vbb 3.*

Manufacture de Sèvres

Partie de cabaret à thé égyptien *composé d'une théière forme étrusque Denon et de neuf tasses à thé et soucoupes forme étrusque Denon, le tout à fond beau bleu, orné de hiéroglyphes en or et de cartels représentant des vues d'Egypte*

*1810*

*Porcelaine dure*

*Théière : H. 18 ; L. 22 cm*

*Tasse : H. 5 ; L. 11 cm*

*Soucoupe : D. 13,6 cm*

*Paris, Fondation Napoléon, inv. 794 (une tasse et soucoupe, donation Lapeyre, les autres pièces acquisition 2003)*

# Assiettes et tasses

[n° 81 et 82]

## Manufacture de Dihl et Guérhard

Neuf tasses à glace et leurs soucoupes

*1811-1813*

*Marque sur les tasses :* "Dihl"

*Marque sur les soucoupes :* "M[t] /Dihl et/Guerhard/à Paris"

*Porcelaine dure*

*Tasses : H. 7 ; D. 5,8 cm*

*Soucoupes : D. 10,8 cm*

*Paris, Fondation Napoléon, inv. 133 pour deux tasses et leurs soucoupes et 796 pour sept tasses et leurs soucoupes (donation Lapeyre)*

Cet ensemble appartient à deux services différents, l'un livré de 1811 à 1813 à l'impératrice Joséphine, et qui comportait un important surtout en biscuit, et le second livré à une date inconnue à son fils, le prince Eugène, vice-roi d'Italie, mais sans surtout. A la mort de l'impératrice en 1814 son service, qui comportait encore 218 pièces et celui de son fils qui en avait 94, furent réunis puis utilisés par le prince, devenu duc de Leuchtenberg, dans son palais de Munich où il s'était retiré après Waterloo. Cet ensemble comptait 128 assiettes dites à tableau car le fond représente soit des vues d'Italie, soit des tableaux flamands ou hollandais, dont certains appartenaient à Joséphine. A part onze assiettes dites "très belles" et facturées 488 F pièce, c'est-à-dire plus que celles du service particulier de l'Empereur à 425 F, les soixante-douze autres assiettes du service de l'Impératrice coûtaient 288 F pièce. Leur réunion en 1814 ne permet malheureusement plus de savoir auquel des deux services appartiennent nos deux assiettes ; on peut néanmoins émettre l'hypothèse qu'elles proviennent du prince Eugène, car elles représentent une vue de Venise, dont Eugène portait le titre de prince, et une vue de Palerme, capitale de la Sicile. Par contre les neuf tasses à glace font partie d'un ensemble de vingt-quatre livrées en 1813 à l'impératrice Joséphine au prix de 50 F chaque. Deux autres figurent dans les collections du musée de Malmaison (don Martial Lapeyre, 1984). Le fils du prince Eugène ayant épousé la fille du tsar Nicolas Ier, le couple s'établit à Saint-Pétersbourg où le double service fut utilisé par les descendants russes d'Eugène.

Confisqué lors de la Révolution d'Octobre, quatre-vingt treize pièces sont toujours conservées au musée de l'Ermitage, tandis que le musée de Malmaison, qui s'attache depuis 1983 à racheter les pièces de ces deux services, en expose quarante-six. La plupart des vues d'Italie reprennent les planches de l'ouvrage de l'abbé de Saint-Non, *Voyage pittoresque ou Description des royaumes de Naples et de Sicile*, et celles publiées par Constant Bourgeois sous le titre *Recueil de vues et fabriques pittoresques d'Italie d'après nature*.

**B.C.**

**Historique :** *tasses et soucoupes : livrées en 1813 à l'impératrice Joséphine ; puis son fils le prince Eugène de Beauharnais au palais Leuchtenberg de Munich ; le fils d'Eugène, Maximilien duc de Leuchtenberg et Maria Nicolaïevna au palais Marie à Saint-Pétersbourg ; leurs descendants les princes Romanovsky ; confisqué en 1920 ; mis sur le marché de l'art européen par la Fondation des Musées entre les deux guerres ; vente, Paris, Hôtel Drouot, 11 mars 1983, n° 99. Assiettes : livrées au prince Eugène de Beauharnais ; même historique que pour les tasses ; vente, Paris, Hôtel Drouot, 21 mars 1979, n°75.*

**Exposition :** *2003, Sao Paulo, n° 157 (pour les assiettes) et 158 (pour les tasses et leurs soucoupes).*

**Bibliographie :** *Bulletin des Amis de Malmaison, 1983, p. 11 ; 1984, p. 12 ; 1985, p. 10 ; 1987, p. 12 ; 1991, p. 42 ; 1992, p. 35 ; 1994, p. 40-42 ; 1995, p. 40-41 ; 1996, p. 36-37 ; 1998, p. 43-47. Chevallier, 1994, p. 25-29, 74-75.*

Manufacture de Dihl et Guérhard

Deux assiettes : le port de Palerme. Vue de l'Eglise du Rédempteur, située à la Giudecca, à Venise, prise de la douanne (sic)

*1811-1813*

*Marque* "Mre de Dihl et Guerhard à Paris"

*Porcelaine dure*

*Assiettes : D. 24,5 cm*

*Paris, Fondation Napoléon, inv. 798 a/b (donation Lapeyre)*

# Parure de malachite

|n° 83|

Composée de deux colliers, d'une paire de bracelets, d'un diadème, d'une broche, d'un pendentif et de six épingles, cette parure ne présente pas de poinçon permettant d'en déterminer l'origine. Hormis les épingles et le pendentif, chaque bijou alterne des camées en malachite, montés en médaillon de différentes tailles, et des palmettes de perles. Variations sur le thème de la figure antique, les camées montrent des profils féminins ou masculins, à l'exception de trois têtes vues de face sur les deux colliers et la broche.
Si le style et le thème de cette parure s'accordent bien avec le début du XIXe siècle, l'écrin fut sans doute conçu plus tardivement. Il convient en effet de le rapprocher d'un collier connu sous le nom de chaîne gothique, conservé au musée de Malmaison dans un écrin en maroquin portant la même initiale A sous couronne, un numéro d'ordre (n°42) et le titre de l'objet. Cette chaîne gothique fut offerte par la reine Hortense à sa nièce, la princesse Amélie (1812-1873), qui devint impératrice du Brésil en épousant Pierre Ier en 1829.

L'impératrice Joséphine possédait des bijoux fantaisie en malachite ainsi que le fait apparaître son inventaire après décès : *"n°116 Item un colier et boucles d'oreilles malachite, prisés trois cents francs* (sic)". Notre parure fut peut-être sa propriété ou celle de sa belle-fille, Auguste-Amélie, vice-reine d'Italie, avant de passer à l'impératrice du Brésil.

**K.H.**

**Historique :** *vente, New York, Sotheby's, 24 octobre 1979, n°173 (acquis par Martial Lapeyre) ; vente, New York, Sotheby's, 11 juin 1980, n°1305 (grand collier acquis par Martial Lapeyre).*
**Expositions :** *1993, Tokyo, n° 206 ; 2003, New Orleans, n° 86.*

Anonyme

Parure de malachite

*Epoque Empire*

*Or, malachite, perles*

*Grand collier : H. 4 ; L. 45,3 cm*
*Collier : H. 3,5 ; L 35,5 cm*
*Bracelets : H. 2 ; L. 17,6 cm*
*Diadème : H. 4 ; L. 15 cm*
*Broche : H. 3,8 ; L. 9,5 cm*
*Pendentif : H. 4,3 ; L. 2 cm*
*Epingles aux petits camées : H. 5,3 ; L. 1,6 cm*
*Epingles aux grands camées : H. 5,3 ; L. 2,3 cm*
*Epingle aux perles : H. 5,8 ; L. 2 cm*

*Ecrin en maroquin rouge portant les inscriptions A (sous couronne),* n°50, PARURE MALACHITES ENTOUREE DE PERLES *(sic).*

*Ecrin L. 44,5 cm*

*Paris, Fondation Napoléon, inv.973 (donation Lapeyre)*

Daniel Saint
(1778-1847)

Portrait de
l'impératrice Joséphine

*Miniature sur ivoire signée à gauche* Saint *montée sur une boîte*

*Poinçon de l'orfèvre Pierre-André Montauban (actif entre 1800 et 1820)*

*Or, émail*

*H. 2,2 ; L. 8 ; L. 5,4 cm*

*Paris, Fondation Napoléon, inv. 635 (donation Lapeyre)*

# Portrait de l'Impératrice

|n° 84|

Daniel Saint a répété à plusieurs reprises ce portrait en buste de l'Impératrice Joséphine portant sa fameuse parure de perles. Le musée national de Malmaison en conserve deux exemplaires, l'un encadré, l'autre monté en médaillon. Trois autres sont répertoriés dans les collections du Metropolitan Museum de New York, de la Wallace Collection de Londres ou de l'Ermitage de Saint-Pétersbourg.

**Historique :** *vente collection Allegre, 16 mai 1872, n°278 ; vente collection Lévy Crémieux, 15 mai 1886, n°73 ; vente Collection Félix Panhard, Paris, Palais Galliera, 5 décembre 1975, n°160 (acquis par Martial Lapeyre).*

**Exposition :** *2003, Sao Paulo, n° 141.*

**Bibliographie :** *Grandjean, 1981, p. 233.*

# Profil du prince Eugène

[n° 85]

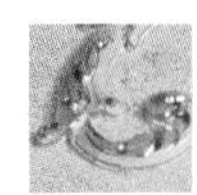

Artiste romain, Berini a produit de nombreux camées aux effigies de la famille impériale, dont une dizaine répertoriée dans les musées. Malmaison conserve de lui une tabatière ornée d'un camée au double portrait du prince Eugène et de son épouse Auguste-Amélie vice-reine d'Italie. Le profil ornant notre boîte est très proche de ce portrait d'Eugène daté de 1811-1812.

**K.H.**

**Historique :** *vente, Paris, Hôtel Drouot, 9 mars 1970, n°160 (acquis par Martial Lapeyre).*

**Exposition :** *2003, Sao Paulo, n° 142.*

[n°86]

Gabriel-Raoul Morel (1798-1832)

Boîte au chiffre du prince Eugène

*Poinçon de l'orfèvre Gabriel-Raoul Morel*

*Or*

*H. 2 ; L. 8,3 ; L. 5,8 cm*

*Paris, Fondation Napoléon, inv. 1095 (donation Lapeyre)*

**Historique :** *cadeau du prince Eugène à Dominique Larrey (1766-1842) ; vente, Paris, Hôtel Drouot, 12 décembre 1975, n°116 (acquis par Martial Lapeyre).*

**Expositions :** *Memphis, 1993, n°168 ; 2003, Sao Paulo, n°56.*

**Bibliographie :** *Grandjean, 1981, p. 236*

Antonio Berini (1770-1861)

Profil du prince Eugène

*Camée en agate signé sur la tranche BERINI monté sur une boîte ronde*

*Or, émail, cristal*

*H. 2 cm ; D. 6,4 cm*

*Paris, Fondation Napoléon, inv. 1059 (donation Lapeyre)*

# Encrier

[n° 87]

Martin-Guillaume Biennais (1764-1843) et Jean-Baptiste Isabey (1767-1855)

Encrier orné d'une miniature : La reine Hortense et ses enfants, Napoléon-Louis et Louis-Napoléon.

*Miniature signée et datée en bas à droite* Isabey 14 août 1808

*Amboine, ébène, argent et vermeil*

*H. 16 ; L. 33 ; P. 12 cm*

*Paris, Fondation Napoléon, inv. 821 (donation Lapeyre)*

Professeur au pensionnat de Madame Campan à Saint-Germain en Laye, Isabey eut pour élève la jeune Hortense de Beauharnais, fille de Joséphine issue de son premier mariage avec le vicomte Alexandre de Beauharnais. Lui décernant le premier prix de dessin en 1798, il continuera à lui prodiguer des leçons par la suite, manifestant quelque jalousie quand la jeune femme voudra s'émanciper de son enseignement : *"J'ai du plaisir à croire que depuis que vous voyez plus souvent mes ouvrages, vous perdez le travail qui vous a été donné par des peintures un peu maigre* (sic)" lui écrira-t-il. Hortense lui restera cependant fidèle, Valérie Masuyer, sa dernière dame d'honneur, notant que "les deux maîtres préférés de la reine" étaient Garneray et Isabey.
De son mariage avec Louis Bonaparte, Hortense eut trois enfants. Napoléon-Charles, son premier fils étant décédé en 1807, elle pose ici avec Napoléon-Louis (1804-1831) et Louis-Napoléon (1808-1873), futur Napoléon III. Né le 20 avril 1808 à Paris, l'enfant sera baptisé le 4 novembre 1810 dans la chapelle de Fontainebleau en présence de ses parrain et marraine, Napoléon et Marie-Louise.

**K.H.**

**Historique :** *offert par Hortense à Napoléon ; archiduc Louis-Victor de Habsbourg (1842– 1919), neveu de l'impératrice Marie-Louise ; vente, Vienne, Dorotheum, 1921 ; vente, Berne, Galerie Jürg Stuker, 22 novembre 1980, n°4693 (acquis par Martial Lapeyre).*

**Exposition :** *2003, Sao Paulo, n°144.*

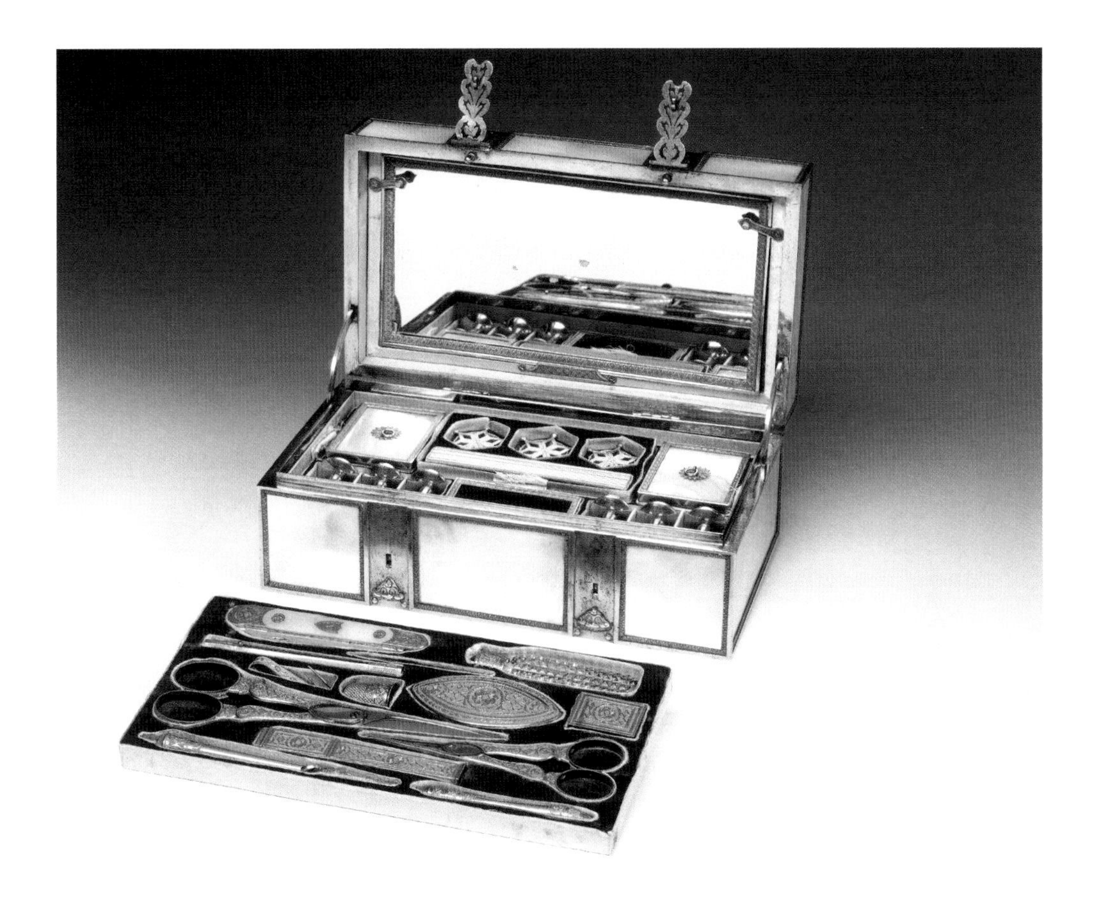

# Nécessaire à ouvrage

[n° 88]

L'une des occupations favorites des femmes de la société était de s'exercer à l'art de l'aiguille. Qu'il s'agisse de l'impératrice Joséphine ou de la reine Hortense, elles achetaient des canevas qu'elles brodaient avec leurs dames pour réaliser des dessus de sièges ou des coussins. Elles possédaient des nécessaires dont certains, plus modestes que celui-ci, sont conservés au musée de Malmaison. Maire était le grand rival de Biennais ; il fournissait des nécessaires plus ou moins luxueux selon la richesse de leur propriétaire, et souvent il y ajoutait d'autres ustensiles indispensables comme le flacon à sels, un miroir ou un porte-crayon. Il parvint à loger vingt-sept pièces sur les deux plateaux de ce nécessaire. Maire étant tabletier et non orfèvre, il devait sous-traiter les objets précieux d'or ou de vermeil. Ainsi le canif porte-t-il le poinçon d'Ambroise-Grégoire Rétoré ; reçu maître-orfèvre pour Paris le 8 août 1778, il s'était spécialisé sous l'Empire dans les instruments de chirurgie. Sur le coffret figure le poinçon de Pierre-Noël Blaquière (vers 1781-1849) ; orfèvre depuis 1803 qui termina sa carrière en 1836 et fut le fournisseur de la manufacture de Sèvres de 1811 à 1823 (cat. n° 26). Son en-tête donne une idée de la variété de ses fournitures : "Blaquière, orfèvre garnisseur, Fait les pièces de Nécessaires ; garnit les Cristaux, Porcelaines, Pipes et Cailloux ; tient Porte-crayons, Etuis, Fermetures de bourses, Dés, Cassolettes. Le tout en or ou argent".

**B.C.**

**Historique :** *Hortense reine de Hollande ; vente, Berne, Galerie Jürg Stuker, 13-29 novembre 1980, n°4727 ; acquis par Martial Lapeyre, en 1984.*

**Exposition :** *2003, Sao Paulo, n° 140.*

**Bibliographie :** *Ennès, p. 69-76 ; Dion-Tenenbaum, 1991, p. 516.*

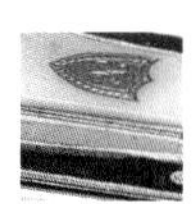

Pierre-Dominique Maire (vers 1763-1827)

Nécessaire à ouvrage de la reine Hortense

*Entre 1809 et 1814*

*Nacre, or, vermeil, acier, acajou, cristal, écrin en maroquin rouge marqué au dos* "MAIRE FECIT"

*H. 9,5 ; L. 23 ; P. 12 cm*

*Paris, Fondation Napoléon, inv. 583 (donation Lapeyre)*

# Vase

[n° 89]

C'est grâce à une étiquette collée au dos du socle que l'on donne ce vase à la manufacture de Dagoty. Elle porte la rare mention "MANUFACTURE / de S.M. l'Imp. et Reine. / P.L. DAGOTY.", tandis que toutes les autres marques connues ne font référence qu'à l'impératrice des Français et ignorent totalement la reine d'Italie. Cette manufacture de porcelaine, installé rue de Chevreuse dans le quartier du Montparnasse, avait été créée en 1800 par Pierre-Louis Dagoty (1771-1840). A une date que l'on ignore, mais qui est antérieure à mars 1807, il obtient le patronage de l'impératrice Joséphine ; elle ne sera pas une très bonne cliente, ne lui achetant du début de l'Empire au divorce que pour 10 333 F de marchandise alors que Dihl, qu'elle ne patronnait pas officiellement, lui en fournit pour 12 964 F. A sa mort, elle ne devait que 2 659 F au premier tandis que le second émargeait pour 6 804 F ; c'est d'ailleurs à Dihl qu'elle commandera plus tard son riche service dit à tableaux (cat. n° 82). Les porcelaines de Dagoty sont pourtant réputées pour la qualité de leur or et l'élégance de leurs formes ; c'est dans son magasin du boulevard Montmartre que l'on trouve comme l'indique l'Hermitte de la Chaussée d'Antin des "vases à cent louis destinés à recevoir une anémone de quinze sous". Le roi Louis fit venir en Hollande en 1808 plusieurs pièces de Dagoty afin d'aider les porcelainiers hollandais. Il est donc logique qu'il lui ait commandé des vases ornés du portrait de son épouse, la reine Hortense. Cet exemplaire provient d'une cousine d'Hortense, Joséphine-Marie Chamans de Lavalette (1802-1866) baronne de Forget, dont la mère était née Emilie de Beauharnais. On connaît un second exemplaire plus petit et avec de légères variantes au Napoleon-museum d'Arenenberg en Suisse.

**B.C.**

**Historique :** *collection de la baronne de Forget (1802-1866), puis de sa cousine Marie de Villers, et du baron de Montesquieu, petit-fils de cette dernière ; acquis par Martial Lapeyre à Paris en 1980.*

**Exposition :** *2003, Sao Paulo, n° 167.*

**Bibliographie :** *Plinval de Guillebon, 1972 ; Plinval de Guillebon, 1985 ; Plinval de Guillebon, 1995.*

Manufacture de Dagoty

Vase orné du portrait de la reine Hortense

*Vers 1806-1810*

*Porcelaine dure, marbre noir*

*H. 29,8 cm*

*Paris, Fondation Napoléon, inv. 785 (donation Lapeyre)*

# Portrait de la reine Hortense

[n° 90]

Suivant les traditions de l'ancienne monarchie, Napoléon organise un maillage diplomatique qui lui permet, par le biais d'alliances matrimoniales, de s'assurer des pays voisins de la France. Dans le cas présent, Hortense de Beauharnais (1783-1837), fille de Joséphine, est donnée au frère du Premier Consul et leur mariage prononcé en 1802. Ce n'est qu'en 1806 que Louis Bonaparte devient roi de Hollande et par voie de conséquence son épouse, bien que séparée de corps, obtient le titre de reine.

On peut donc conjecturer que le beau portrait de la fondation Dosne-Thiers, date de cette époque et que le diadème qu'elle porte, est destiné à rappeler cette nouvelle dignité. C'est pourtant moins l'aspect officiel de cette peinture, une œuvre de commande dont on connaît plusieurs répétitions, que sa qualité picturale qui s'impose. Le format et les dimensions du tableau suggèrent la demi-figure de caractère plus intime, l'élégance de la composition joue sur des plans simples, la belle franchise de ce visage aux traits vifs éclaire la figuration d'une des femmes les plus séduisantes de son temps. Il y a plus, ce paysage que l'artiste introduit en contrepoint, sans véritable nécessité que de donner à cette image une expression plus naturelle, autorise à y voir une œuvre de premier plan.

On comprend de ce fait que l'ancienne attribution portée par cette peinture, donnée jadis au peintre Robert Lefèvre (1756-1830), ait été réfutée et qu'Alain Pougetoux lui ait préféré celle de Gérard. On retrouve dans ce tableau un métier beaucoup plus sensible, attaché au rendu d'une véritable atmosphère que Lefèvre, certes grand portraitiste mais peintre moins inspiré, ne pouvait atteindre.

**N.S.F.G.**

**Historique :** *ancienne collection.*

**Expositions :** *1999-2000, Saint-Cloud, n°156.*

Attribué à François-Pascal-Simon Gérard
(Rome 1770-Paris 1837)

Portrait de la reine Hortense

*Vers 1806*

*Huile sur toile*

*H. 80, 4 ; L. 62, 3 cm*

*Paris, fondation Dosne-Thiers, inv.0933/T.53*

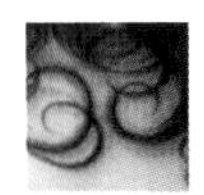

[n°93]

## Jean-Baptiste-Jacques Augustin (1759-1832)

Portrait de Pauline,
princesse Borghèse

*Miniature sur ivoire signée à gauche* Augustin

*H. 6,7 ; L.5,4 cm*

*Paris, Fondation Napoléon, inv. 670 (donation Lapeyre)*

**Historique :**
*collection Vincent ; vente, Paris, Palais Galliera, 5 décembre 1975, n°14 (acquis par Martial Lapeyre).*

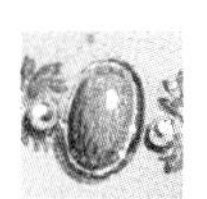

[n°91]

## Philip-Heinrick Dunker (1780-1836)

Portrait de Caroline Murat,
reine de Naples

*Miniature sur papier*

*H. 19,5 ; L. 15,2 cm*

*Paris, Fondation Napoléon, inv. 726 (donation Lapeyre)*

**Historique :**
*acquis par Martial Lapeyre à Paris en 1978.*

Cette miniature est une reprise du portrait de Caroline dans le grand tableau la représentant en reine de Naples avec ses quatre enfants, peint par Gérard en 1808 peu de temps avant leur départ pour le royaume italien.

# Tasse et soucoupe

[n° 92]

Sous la tasse figure l'étrange inscription suivante : "La Princesse Elisa Bacciochi sœur de l'Empereur Napoléon Grande Duchesse de Toscane. République de Lucques". On s'étonne de voir écrit "République de Lucques", sachant que cette république indépendante avait été abolie en 1799 lors de la prise de la ville par les Français ; Elisa reçut plus tard le titre de princesse de Lucques et de Piombino par décret du 18 et 24 juin 1805, puis le 3 mars 1809 elle fut nommée "grande duchesse ayant le gouvernement général des départements de la Toscane", titre généralement abrégé en grande-duchesse de Toscane. Cela signifie qu'elle n'est pas grande-duchesse régnante, et que, tout comme son beau-frère Camille Borghèse à Turin, elle reçoit ses ordres depuis Paris et se contente de tenir la cour de l'Empereur à Florence. Si le portrait d'Elisa peint sur la tasse ne la représente pas en tenue de cour comme on pourrait s'y attendre, la soucoupe présente ses grandes armes de grande-duchesse de Toscane, où figurent autour de l'aigle impériale, les armes des Médicis pour Florence, celles des Cybo pour le duché de Massa et la principauté de Carrare et celle des Bonaparte d'avant l'Empire.

**B.C.**

**Exposition :** *2003, Sao Paulo, n° 160.*

Porcelaine de Paris (Manufacture de Nast d'après une étiquette moderne collée sous la tasse) ou manufacture des Ginori à Doccia (Toscane)

Tasse et soucoupe, portrait d'Elisa Bonaparte

*Vers 1810*

*Porcelaine dure*

*Tasse : H. 12 cm*

*Soucoupe : D. 15 cm*

*Paris, Fondation Napoléon, inv. 795 (donation Lapeyre)*

[n°94]

## Daniel Saint
## (1778-1847)

Portrait de Louis Bonaparte, roi de Hollande

*Miniature sur ivoire signée à droite* Saint *montée sur une boîte signée* Marguerite joaillier de la Couronne de leurs Maj[tés] Impl[es] et Royl[es] n °69

*Poinçon de l'orfèvre Pierre-André Montauban (actif entre 1800 et 1820)*

*Or, émail*

*H. 1,9 ; L. 9,5 ; L. 6,5 cm*

*Paris, Fondation Napoléon, inv. 1098 (donation Lapeyre)*

**Historique :**
***vente, Berne, Galerie Jürg Stuker, 20 novembre 1981, n° 16 (acquis par Martial Lapeyre).***

**Expositions :**
***1993, Tokyo, n°182-2 ;***
***2003, Sao Paulo, n°49.***

[n°97] *[non reproduit]*

## Boîte au monogramme de Jérôme Napoléon, roi de Westphalie

*Signée* 467 Marguerite, joaillier de la Couronne à Paris

*Poinçon de l'orfèvre Etienne-Lucien Blerzy (actif entre 1798 et 1820)*

*Or, émail*

*H. 1,9 ; L. 9 ; L. 5,9 cm*

*Paris, Fondation Napoléon, inv. 1054 (donation Lapeyre)*

**Historique :**
***vente, Paris, Hôtel Drouot, 18 juin 1975, n°62 (acquis par Martial Lapeyre).***

**Exposition :**
***1993, Memphis, n°166 ;***
***2003, Sao Paulo, n°55.***

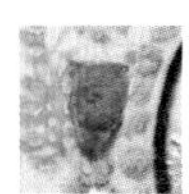

[n°96]

## Louis-François Aubry
## (1767-1851)

Portrait de Jérôme Bonaparte

*Miniature sur ivoire signée à droite* Aubry *montée sur une boîte*

*Or, diamants*

*H. 2,1 ; L. 9,2 ; L. 6,5 cm*

*Paris, Fondation Napoléon, inv. 632 (donation Lapeyre)*

**Historique :**
***acquis par Martial Lapeyre en 1976.***

**Exposition :**
***2003, Sao Paulo, n°50 .***

[n°95] *[non reproduit]*

## Boîte au chiffre de Louis Bonaparte, roi de Hollande

*Poinçon de l'orfèvre Etienne-Lucien Blerzy (actif entre 1798 et 1820)*

*Or, diamants, émail*

*H. 1,9 ; L. 8,7 ; L. 5,7 cm*

*Paris, Fondation Napoléon, inv. 1061 (donation Lapeyre)*

**Historique :**
***acquis par Martial Lapeyre à Paris en 1978.***

**Expositions :**
***1993, Memphis, n°165 ;***
***2003, Sao Paulo, n°54.***

[n°100]

## Salvatore Nasti (Ecole napolitaine début du XIXe)

Portrait de Joachim Murat, roi de Naples

*Miniature sur ivoire signée et datée* Salvatore NASTI 1815 *montée sur une boîte signée* N°41 Marguerite jouaillier de la couronne de leurs Majestés Impériales et Royales *Poinçon de l'orfèvre Pierre-André Montauban (actif entre 1800 et 1820)*

*Inscription à l'intérieur du couvercle* "Donnée par Joachim Roi de Naples au Marquis de Sligo à son départ de Naples Mars 1815".

*Or, émail*

*H. 1,9 ; L. 8,8 ; L. 5,6 cm*

*Paris, Fondation Napoléon, inv. 640 (donation Lapeyre)*

**Historique :**
*cadeau de Joachim Murat à Howe Peter Browne, marquis de Sligo (1788-1845) en 1815 ; vente, Paris, Hôtel Drouot, 10 mai 1967, n°90 (acquis par Martial Lapeyre).*

**Exposition :**
*2003, Sao Paulo, n°53.*

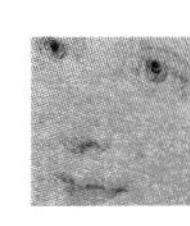

[n°101]

## Jean-Baptiste Isabey (1767-1855)

Les princes et princesses Laetitia, Achille, Louise et Lucien Murat

*Aquarelle et pierre noire, signée et datée en bas à droite* 1809. Isabey

*Inscription gravée au revers du cadre :* Princesse Laetitia Murat, Prince Achille Murat, Princesse Louise Murat, Prince Lucien Murat

*H. 11,7 ; L. 10,2 cm*

*Paris, Fondation Napoléon, inv. 672 (donation Lapeyre)*

**Historique :**
*vente, Paris, Hôtel Drouot, 27 avril 1979, n°72 (acquis par Martial Lapeyre).*

Joachim et Caroline Murat eurent quatre enfants, Achille (1801-1847), Laetitia (1802-1859), Lucien (1803-1878) et Louise (1805-1889).

# Croix de l'ordre de la Couronne de Westphalie

[n° 98]

H.J. Gibert, joaillier

Croix de l'ordre de la Couronne de Westphalie de Jérôme Bonaparte

*Vers 1810 ; signé* "GIBERT joaillier à PARIS" et inscription"ERRICHTET DEN XXV DEC MDCCCIX" *(Institué le 25 décembre 1809)*

*Ors blanc et jaune, diamants, émail*

*H. 6,5 cm*

*Paris, Fondation Napoléon, inv. 285 (acquisition 1994)*

**A** la suite du traité de Tilsit, Napoléon crée pour son plus jeune frère, Jérôme Bonaparte, le royaume de Westphalie, constitué de divers territoires allemands, avec pour capitale Cassel. Devenu Jérôme Napoléon, le nouveau souverain est proclamé le 7 juillet 1807 et fait son entrée solennelle dans sa capitale le 7 décembre de la même année. Prodigue et aimant s'entourer de faste, il imagine très vite de fonder son propre ordre royal, mais il doit attendre deux ans l'autorisation de l'Empereur pour signer le décret créant l'ordre le 25 décembre 1809. A l'instar de l'ordre de la Légion d'honneur, il est destiné à récompenser les mérites militaires et civils et comporte dix grands commandeurs, trente commandeurs, trois cents chevaliers de première classe et cinq cents de seconde classe. Le roi comme grand maître de l'Ordre porte un collier et un insigne enrichis de diamants, ce qui laisse penser que cet insigne lui a appartenu. Si les premières décorations ont été fournies par l'incontournable Biennais, d'autres sont commandées à des joailliers parisiens comme Gibert ou Oliveras, voire à un orfèvre de Cassel. La couleur du cordon est gros bleu, qui est la couleur du royaume de Westphalie. L'ordre ne survécut pas à la disparition du royaume en 1813, mais Jérôme continua d'en porter l'insigne jusqu'à sa mort en 1860, en plein Second Empire ! Le musée de Fontainebleau conserve une autre croix en or, émail et perles livrée également par Gibert et provenant aussi de la famille impériale.

**B.C.**

**Historique :** *propriété de Jérôme Bonaparte roi de Westphalie ; son arrière-petite-fille la comtesse de Witt, née Marie-Clotilde Napoléon (1912-1996) ; vente, Londres, Spink Medal Auction, 12 juillet 1994, n° 451.*

**Exposition :** *2003, Sao Paulo, n° 90.*

**Bbibliographie :** *Samoyault, 1986, p. 102 ; Detours, 1997, p. 59-60.*

# Montre à tact

[n° 99]

D'origine suisse, Abraham-Louis Breguet fait son apprentissage chez un horloger versaillais avant de fonder son propre commerce en 1775 ; il devient maître en 1784 et est l'auteur de nombreux chefs-d'œuvre techniques, d'inventions et de découvertes, comptant tous les grands de ce monde parmi sa clientèle. Parmi ses fournitures figurent les montres à tact, qui outre une lecture traditionnelle faite en ouvrant le boîtier, permet aussi de lire l'heure dans l'obscurité grâce à une flèche placée sur le couvercle et dirigée vers vingt-quatre boutons d'attouchement en diamants et perles, douze grands et douze petits, répartis tout autour de ce cadran, qui sont autant de repères pour chacune des heures et des demi-heures. Selon le duc de Wellington, les montres à tact étaient utilisées par les jeunes gens qui désiraient savoir l'heure discrètement, ce type d'objets permettant d'en prendre connaissance sans sortir la montre de sa poche. Cet exemplaire particulièrement somptueux a été vendu par Breguet le 14 décembre 1809 au roi de Westphalie, Jérôme Bonaparte. Une montre de ce type pouvait valoir de 1 000 à 2 000 F pour un modèle simple et pouvait atteindre 5 000 F lorsqu'elle était ornée de pierres précieuses. Une montre identique a été livrée par Breguet à Lucien Bonaparte (or émaillé bleu, fléche en diamants, 1802, diam. 39 mm).

**B.C.**

**Historique :** *livrée par Breguet à Jérôme Bonaparte roi de Westphalie le 14 décembre 1809 ; acquise en 1982 par Martial Lapeyre.*

**Exposition :** *2003, Sao Paulo, n° 91.*

Abraham-Louis Breguet (1747-1823)

Montre à tact de Jérôme Bonaparte, roi de Westphalie

*1809, signée à l'intérieur* "Breguet N° 615"

*Or, argent, diamants, perles, émail*

*D. 5,5 cm*

*Paris, Fondation Napoléon, inv. 623 (donation Lapeyre)*

# L'arrivée de Marie-Louise

[n° 102]

Cumulant les charges au fil des années, Isabey fut tour à tour peintre dessinateur du Cabinet de Sa Majesté, des cérémonies et des relations extérieures, ordonnateur des réjouissances publiques et des fêtes particulières aux Tuileries, dessinateur du Sceau et des Titres, premier peintre de la chambre de l'impératrice Joséphine, décorateur des Théâtres impériaux et professeur de dessin de l'impératrice Marie-Louise, fonction où il succéda à Prud'hon. Sa nature aimable le fit vite apprécier de la nouvelle épouse de Napoléon, lui, le proche de Joséphine, qui avait tant craint pour sa position après le divorce.
Accaparé par ses fonctions et par la production des portraits miniatures de Napoléon, Isabey a exécuté sous l'Empire quelques grands dessins à la sépia dont certains furent exposés aux Salons : *La visite du Premier Consul à la manufacture des frères Sévène à Rouen* en 1804 *et La visite de l'Empereur à la manufacture d'Oberkampf, à Jouy* en 1806. De dimension plus modeste, *L'arrivée de Marie-Louise à Compiègne* met en scène de façon protocolaire une rencontre qui le fut bien peu. C'est à Soissons, le 27 mars 1810, au cours d'une réception organisée par la municipalité que devaient avoir lieu les présentations de la fille de l'Empereur d'Autriche et de l'Empereur des Français. Cédant à son impatience, ce dernier se précipita au devant de la future impératrice sur la route de Soissons, bondit dans son carrosse à l'occasion d'un relais, expédia la cérémonie municipale et, arrivé au château de Compiègne où la Cour attendait fébrilement le couple, se contenta d'une rapide présentation à la famille avant de disparaître avec Marie-Louise dans ses appartements.
Isabey peignit la nouvelle impératrice à plusieurs reprises. Au Salon de 1810 sont exposés deux portraits à l'aquarelle de Marie-Louise et de Napoléon en costume de mariage envoyés par la suite à François Ier d'Autriche (Schatzkammer, Kunsthistorisches Museum, Vienne). En 1811, la naissance du roi de Rome lui donne l'occasion de commémorer la scène de remise de l'enfant entre l'Empereur et la nouvelle mère. Il fournit bien sûr des miniatures (cat. n° 103) et donne en 1812 un portrait de Marie-Louise couronnée de roses, caractéristique de la manière vaporeuse et flatteuse qui séduisit tant de modèles féminins à la fin de l'Empire et sous la Restauration.

**K.H.**

**Historique :** *collection prince de la Moskowa ; vente, Paris, Hôtel Drouot, 20 octobre 1980, n°10 (acquis par Martial Lapeyre).*

**Exposition :** *2003, Sao Paulo, n°168.*

**Bibliographie :** *Basily-Callimaki, 1909, p.113.*

Jean-Baptiste Isabey
(1767-1855)

L'arrivée de Marie-Louise
à Compiègne

*Plume, lavis d'encre de chine, rehauts de blanc et de sépia sur papier collé entoilé*

*H. 30 ; L. 52 cm*

*Paris, Fondation Napoléon, inv. 765 (donation Lapeyre)*

# L'impératrice Marie-Louise [n° 104]

Abraham Constantin (1785-1855)

Portrait de l'impératrice Marie-Louise

*Miniature sur ivoire signée à droite* Constantin *montée sur une boîte signée* n°80 Etienne Nitot et Fils

*Poinçon de l'orfèvre Etienne-Lucien Blerzy (actif entre 1798 et 1820)*

*Or jaune, émail*

*H. 2,5 cm ; L. 9 cm ; P. 6,5 cm*

*Paris, Fondation Napoléon, inv. 638 (donation Lapeyre)*

Cette boîte signée Nitot est ornée d'une miniature d'après le portrait de Gérard, Marie-Louise et le roi de Rome, conservé à Versailles. François-Regnault Nitot (1779-1853), associé à son père Marie-Etienne depuis 1806, lui succède à sa mort en 1809. En 1813, leur adresse professionnelle, *Nitot et fils joaillier bijoutier de LL. MM. l'Empereur et l'Impératrice, du roi et de la reine de Westphalie,* est sise 15, place Vendôme. Ils livrèrent la plupart des somptueuses parures de Marie-Louise.

**K.H.**

**Historique :** *collection Martial Lapeyre.*

**Exposition :** *2003, Sao Paulo, n°179.*

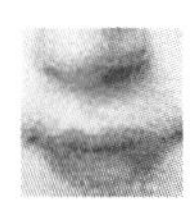

[n°103]

Jean-Baptiste Isabey (1767-1855)

Portrait de l'impératrice Marie-Louise

*Miniature sur ivoire signée à droite* Isabey

*H. 3, 5 ; L. 2,7 cm*

*Paris, Fondation Napoléon, inv. 667 (donation Lapeyre)*

**Historique :**
*vente, Monte-Carlo, 4 mai 1977, n°33 (acquis par Martial Lapeyre)*

**Exposition :**
*1954, Carnegie Institute.*

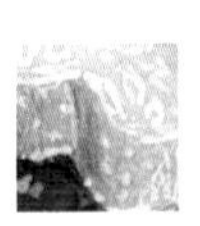

Nicolas Jacques
(1780-1844)

Portrait présumé
du roi de Rome

*Miniature sur ivoire signée et datée à droite* Jacques. 1813.

*H. 5 ; L. 3,8 cm*

*Paris, Fondation Napoléon, inv. 669 (donation Lapeyre)*

# Portrait présumé du roi de Rome [n° 106]

Elève de Gérard, Jacques a travaillé chez Isabey et David et fournit des portraits de la famille impériale et des personnalités de son époque. Sa production artistique s'étend des années 1804 à 1840. On connaît de lui en 1813 un portrait de la princesse Louise de Bade (1811-1854), première fille de Stéphanie de Beauharnais, elle-même nièce de Joséphine.

**K.H.**

**Historique :** *vente, Monte Carlo, 4 mai 1977, n°71 (acquis par Martial Lapeyre).*

**Exposition :** *1954, Carnegie Institute, n°70 ; 2003, Sao Paulo, n°178.*

PARIS
ROME
AMSTERDAM
BAPTEME DU ROI DE ROME
M.DCCC.XI.

# Vase étrusque

[n° 105]

Ce vase, entièrement peint en 1812, fut offert par l'Empereur à l'occasion du Jour de l'An de 1813 à la comtesse de Noailles qui, comme la comtesse de Croix (cat. n° 53), venait d'être nommée dame du Palais de l'impératrice Marie-Louise l'année précédente. Il s'agit de celle que la reine Hortense appelle dans ses Mémoires, "Mme Just de Noailles, qui fut toujours douce et bonne". Née Françoise-Xavière-Mélanie-Honorine de Talleyrand-Périgord (1785-1863), elle est la propre nièce de Talleyrand et épouse en 1803 Antoine-Claude-Dominique-Just de Noailles (1777-1846), second fils du duc de Mouchy, dont Napoléon fait l'un de ses chambellans en 1806, puis un comte de l'Empire en 1810.
La forme, dite étrusque carafe, reprend exactement celle d'un vase grec de la collection que Denon vend au Roi en 1785 et qui est déposée dès l'année suivante à la manufacture afin d'inciter les artistes à mieux imiter l'Antiquité. Le motif central du vase copie la médaille officielle frappée par la Monnaie par le graveur Bertrand Andrieu (1761-1822) d'après un dessin de Louis Lafitte (1770-1828) et qu'Andrieu expose au Salon de 1812. Sa peinture en est confiée à Jean-Marie Degault ou De Gault (1765-1818), peintre à Sèvres de 1808 à 1817, spécialisé dans l'imitation des camées et des pierres dures. Degault combine en un seul médaillon l'avers et le revers de la médaille, entourant la figure de l'Empereur tenant son fils au-dessus des fonts baptismaux des quarante-neuf couronnes symbolisant les principales villes de l'Empire, avec en haut les noms de Paris, de Rome et d'Amsterdam. Il reçoit 300 F pour ce travail. Les ornements sur le vase sont peints par Claude-Antoine Déperais, peintre d'ornements à Sèvres de 1798 à 1822, tandis que les mains de justice ornant le culot du vase sont l'œuvre de Jean-François Davignon, actif de 1807 à 1813. Enfin, la monture et le socle en bronze sont confiés au célèbre Thomire. Le vase entre au magasin de vente le 28 décembre 1812 pour un prix de fabrication de 850 F et un prix de vente de 1 200 F.

**B.C.**

**Historique :** *livré par la manufacture de Sèvres le 28 décembre 1812 ; donné par Napoléon à la comtesse de Noailles à l'occasion des Etrennes de 1813 ; vente, Paris, Hôtel Drouot, 24 mai 2002, n°236.*

**Exposition :** *2003, Sao Paulo, n° 172.*

**Archives de la Manufacture de Sèvres :** *Pb 4, Vj' 19.*

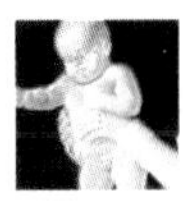

Manufacture de Sèvres

Vase étrusque carafe, *fond beau bleu, cartel reproduisant la médaille de baptême du roi de Rome peint dans le genre camée*

*1812, signé en bas à doite* "J.M. De Gault."

*Porcelaine dure, bronze doré*

*H. 44 cm*

*Paris, Fondation Napoléon, inv. 1166 (acquisition 2002)*

Le Service particulier

# Le Service particulier de l'Empereur [nᵒ 107 à 125]

**A**près s'être dessaisi du service olympique en faveur du tsar, puis de celui dit à "zones d'or" pour l'ambassade de Caulaincourt en Russie, Napoléon décide en octobre 1807 de commander à la manufacture de Sèvres un service destiné à la table impériale connu sous le nom de service particulier de l'Empereur. Il était réparti en quatre ensembles bien distincts :

- un service d'entrée composé de vingt-quatre assiettes à potage (une à Fontainebleau), huit beurriers (deux à Fontainebleau), dix-huit pots à jus et quatre saladiers ;
- un service de dessert comportant vingt-quatre assiettes à monter, douze compotiers (deux à Fontainebleau), quatre vases glacières (trois à Fontainebleau), quatre sucriers (trois à Fontainebleau), dix corbeilles de diverses grandeurs et un ensemble de soixante-douze assiettes richement peintes auxquelles appartiennent les nôtres ;
- un surtout en biscuit de vingt-cinq pièces formé de seize figures d'après l'antique, d'un char traîné par deux chevaux, et de réductions en porcelaine de candélabres, de trépieds, de vasques et de chaises antiques en marbre (plusieurs éléments au musée du Louvre) ;
- un cabaret comportant vingt-quatre tasses et soucoupes, trois pots à sucre, un pot à crème et un pot à lait, le tout orné de vues d'Egypte et de têtes de personnages orientaux. Comme une partie du service à dessert, ce service à café suivit l'Empereur à Sainte-Hélène (en grande partie au musée du Louvre) ;

Le prix de l'ensemble s'élevait à la somme considérable de 65 449 F contre 53 400 F pour le service olympique qui avait été envoyé en cadeau au tsar Alexandre en 1807. On connaît également les assiettes de dessert du service particulier de l'Empereur sous le nom de service des Quartiers Généraux ; cette dernière appellation, que lui donne déjà le fidèle valet de chambre Marchand au moment du départ pour Sainte-Hélène, fait peut-être référence au quartier général que Napoléon occupait pendant ses campagnes et dont un certain nombre sont représentés sur les assiettes. Le service comporte soixante-douze assiettes plates représentant divers sujets dont vingt-huit fournis par Napoléon lui-même : quatre pour les deux campagnes d'Italie, quinze figurant l'expédition d'Egypte, trois la campagne d'Autriche et les six autres les campagnes de Prusse et de Pologne. Le directeur de la manufacture, Alexandre

Brongniart, aidé par Vivant Denon, complète la liste par d'autres faits marquants des mêmes campagnes, par des vues de Paris, des résidences impériales, des grandes institutions de l'Empire ou des grands travaux exécutés en province. Chaque assiette coûte 425 F, somme jamais surpassée à l'époque. Pour le dessin du marli, on utilise la bordure de glaives antiques dessinée en avril 1807 par le père du directeur de la manufacture, l'architecte Alexandre-Théodore Brongniart ; il est enfin décidé d'adopter le ton vert de chrome, récemment mis au point par le chimiste Vauquelin. Le travail des peintres peut alors commencer en janvier 1808 pour s'achever en mars 1810, juste à temps pour que le service soit livré le 27 mars au palais des Tuileries afin de servir au grand banquet du 2 avril marquant le mariage de l'Empereur avec Marie-Louise. En comptant les différents cadeaux faits par l'Empereur, qui nécessitent des réassortiments, Sèvres réalise en tout quatre-vingt-deux assiettes, mais la table des Tuileries n'en comporta jamais plus de soixante-douze à la fois. Le travail des peintres est réparti entre Jacques-François Swebach (vingt-sept assiettes), Nicolas-Antoine Lebel (vingt assiettes), Jean-François Robert (vingt assiettes), Christophe-Ferdinand Caron (neuf assiettes), Pierre-Jean Boquet (deux assiettes), Jean-Claude Rumeau (deux assiettes), Jean-Louis Demarne (une assiette) et François Gonord (une assiette). La dorure des frises, payée 25 F par assiette, est confiée à François-Antoine Boullemier et à son frère, Antoine-Gabriel, tandis que la dorure des garnitures revient à Pierre-Jean-Baptiste Vandé.

Lors de la première Restauration, les soixante-douze assiettes conservées aux Tuileries sont envoyées à Sèvres afin de faire meuler les inscriptions figurant au dos ainsi que les marques du Premier Empire remplacées par le chiffre de Louis XVIII, deux L affrontées peintes en noir. Napoléon retrouve son service pendant les Cent-Jours et, en juin 1815, Fouché l'autorise à emporter soixante assiettes à Sainte-Hélène, les douze autres restant au Garde Meuble. L'Empereur ne les utilise pas à Longwood, les réservant pour faire des cadeaux à son entourage, si bien qu'à sa mort il en subsiste encore cinquante-quatre. Ces assiettes ont été remarquées par la plupart des témoins de Sainte-Hélène ; Bertrand se souvient qu'après la mort de l'Empereur, selon les souhaits de lady Lowe, le mobilier est remis en place dans l'appartement et que les assiettes de porcelaine sont alors exposées dans la salle de billard ; Ali de son côté, toujours aussi précis dans ses descriptions, rapporte qu' *"à dîner* [l'Empereur] *s'amuse à regarder les peintures des assiettes du beau*

Manufacture de Sèvres

Dix-neuf assiettes du service particulier de l'Empereur

*1807-1811*

*Porcelaine dure*

*D. 24 cm*

*Paris, Fondation Napoléon, inv. 30 (acquisition 1991), 414 à 418 (donation Lapeyre) et 792 A à M (donation Lapeyre)*

[n° 107]
"Le Miqyâs"

*service de porcelaine de Sèvres. Il est à observer que sous ces assiettes, les Bourbons avaient fait graver le chiffre de Louis XVIII, des L opposés"* (renseignement inédit, aimablement communiqué par Jacques Jourquin). Dans un état daté du 15 avril 1821 annexé à son testament, Napoléon précise : *"1° Mon médailler. 2° Mon argenterie et ma porcelaine de Sèvres dont j'ai fait usage à Sainte-Hélène. 3° Je charge le comte Montholon de garder ces objets et de les remettre à mon fils quand il aura seize ans."* La Cour de Vienne ayant refusé ce legs, Montholon conserve les assiettes et les distribue à son gré ; en 1851 le fils de Las Cases en a encore vingt-quatre. Sur les dix-neuf assiettes appartenant à la Fondation Napoléon, quinze figurèrent à Sainte-Hélène, tandis que les quatre autres furent envoyées en 1810 par Napoléon comme cadeaux à ses beaux-parents, l'empereur et l'impératrice d'Autriche. Le musée national du château de Fontainebleau en présente de son côté vingt-deux, dont neuf des douze restées au Garde Meuble en 1815, l'une d'elles, cassée, ayant d'ailleurs été refaite en 1824. Trois sont conservées au musée de Malmaison, trois au musée royal de l'Armée de Bruxelles, deux au musée de Sèvres, une au musée du Louvre, une au musée napoléonien du palais princier de Monaco et les autres dans des collections particulières ; seules huit assiettes ne sont pas encore connues.

**B.C.**

**Bibliographie :** *Samoyault, 1990, p. 2-11 ; Préaud, 1999, p. 294-316 ; Ali, inédit, fonds André Damien.*

[n° 108]
"Vue du phare
d'Alexandrie"

[n° 109]
"Le pont du Jourdain"

[n° 110]
"L'isthme de Suez.
Le général Cafarelli du
Falga prêt à se noyer"

[n° 111]
"Vue de Mayence"
[n° 112]
"Attaque de l'île Lobau"
[n° 113]
"Molke"

[n° 114]
“Fête donnée à Venise”

[n° 115]
“Régate de Venise”

[n° 116]
“Vue de l’obélisque élevé
sur le mont Genèvre”

[n° 117]
"Carte de France"

[n° 118]
"Préfecture de Napoléon"
(aujourd'hui la Roche- sur-Yon)

[n° 119]
"Vue des Tuileries et
de la rue de Rivoli "

[n° 120]
"L'orangerie du
Jardin des Plantes"

[n° 121]
"L'orangerie du Jardin des Plantes"

[n° 122]
"Le Pont d'Austerlitz"

[n° 123]
"Vue de S^t Cyr"

[n° 124]
"Vue du Palais I.^le et R.^le
de S^t Cloud prise de la
rive droite de la Seine"

[n° 125]
"La Manufacture Impériale

**[n° 107]** "Le Miqyâs"
*1808. Marques : en creux : T [J. Thion père, tourneur], 7 [1807]. En noir : 2 L affrontées, n° 54 Porcelaine dure - D. 24 cm - Paris, Fondation Napoléon, inv. 792 C (donation Lapeyre)*
En mars et avril 1808, Lebel peint pour 80 F cette vue du Miqyas, nilomètre installé au bout de l'île de Roda, aux environs du Caire.
Le sujet reproduit une gravure de l'ouvrage de Vivant Denon, *"Voyage dans la basse et la haute Egypte"* (planche 22, n° 3).

**Historique :** *vente, Versailles, hôtel Rameau, 15 juin 1983, n° 96.*
**Exposition :** *2003, Sao Paulo, n° 148 B.*
**Archives de la manufacture de Sèvres :** *Vj' 15.*

**[n°108]** "Vue du phare d'Alexandrie"
*1808. Marques : en creux : 7 [1807]. En noir : 2 L affrontées, n° 41 - Porcelaine dure - D. 24 cm Paris, Fondation Napoléon, inv. 418 (Donation Lapeyre)*
Peint pour seulement 45 F par Lebel en mars et avril 1808, ce sujet rappelait à l'Empereur le débarquement des troupes à Alexandrie le 2 juillet 1798. La vue est également tirée du *"Voyage dans la basse et la haute Egypte"* de Denon (planche 10, n° 3).

**Historique :** *vente, Paris, Hôtel Drouot, 9 décembre 1964, n° 50 C.*
**Exposition :** *2003, Sao Paulo, n° 148 A.*
**Archives de la manufacture de Sèvres :** *Vj' 15.*

**[n° 109]** "Le pont du Jourdain"
*1808. Marques : en noir : 2 L affrontées, n° 43 Porcelaine dure - D. 24 cm - Paris, Fondation Napoléon, inv. 792 H (donation Lapeyre)*

Robert réalise cette assiette en juin et juillet 1808 pour 85 F. Pour représenter ce sujet, demandé expressément par l'Empereur, on fait appel à un professeur de persan à la Bibliothèque impériale, Louis Langlès, qui donne suffisamment d'indications pour réaliser le dessin.

**Historique :** *vente, Versailles, hôtel Rameau, 15 juin 1983, n° 96.*
**Exposition :** *2003, Sao Paulo, n° 148 D.*
**Archives de la manufacture de Sèvres :** *Vj' 15.*

**[n° 110]** "L'isthme de Suez. Le général Cafarelli du Falga prêt à se noyer" *(3e version)*
*1811. Marques : en creux : LD [L. Davignon, tourneur], 7 [1807]. En noir : 2 L affrontées, n° 30 Porcelaine dure - D. 24 cm - Paris, Fondation Napoléon, inv. 792 A (donation Lapeyre)*

Il s'agit de la troisième version de cette assiette confiée à Swebach : la première, peinte en 1808, fut offerte par l'Empereur à sa sœur Pauline, tandis que la seconde, réalisée en 1810, retourna à la manufacture (aujourd'hui au musée de Sèvres). Pour la peinture de cette troisième assiette en janvier 1811, Swebach reçoit la somme importante de 200 F. Les trois exemplaires ont été peints d'après un dessin anonyme toujours conservé à Sèvres et adressé au directeur de la manufacture, Alexandre Brongniart par Denon le 21 mars 1808.

**Historique :** *vente, Versailles, hôtel Rameau, 15 juin 1983, n° 96.*
**Exposition :** *Archives de la manufacture de Sèvres : Vj' 18.*

**[n° 111]** "Vue de Mayence"
*1809. Marques : en creux : LD [L. Davignon, tourneur], 8 [1808]. En noir : 2 L affrontées, n° 61. En vert : D.2.5 - Porcelaine dure - D. 24 cm - Paris, Fondation Napoléon, inv. 30 (acquisition 1991)*

Lebel, occupé à d'autres travaux, garde cette assiette de janvier à juillet 1809 et ne reçoit que 50 F pour son travail. La vue provient d'un ouvrage de Vogt publié en 1804-1805, *"Voyage pittoresque sur le Rhin"*. Mayence était le chef-lieu du département du Mont Tonnerre depuis 1800 et l'Empereur y avait aménagé un palais impérial.

**Historique :** *acquis à Paris en 1991.*
**Exposition :** *1993, Memphis, n° 102 ; 2003, Sao Paulo, n° 148 G.*
**Archives de la manufacture de Sèvres :** *Vj' 16.*

**[n° 112]** "Attaque de l'île Lobau"
*1810. Marques : en creux : S [S. Dupin, tourneur], 9 [1809]. En noir : 2 L affrontées, n° 25 Porcelaine dure - D. 24 cm - Paris, Fondation Napoléon, inv. 792 G (donation Lapeyre)*
Cette assiette est peinte par Swebach pour 200 F en février et mars 1810 d'après les dessins qu'Alexandre de Laborde pris sur place lors de la campagne de 1809. Brongniart en profita pour faire réaliser deux autres assiettes d'après ces esquisses : les "Tentes de l'Empereur dans l'île Lobau" et le "Deuxième pont communiquant à l'île Lobau". Marchand, à Sainte-Hélène, rapporte qu'à l'occasion des Etrennes du 1er janvier 1817, *"La comtesse Bertrand et la comtesse de Montholon reçurent chacune une assiette de son beau service de porcelaine de Sèvres. Celle de la comtesse Bertrand représentait le passage du Danube dont les ponts furent jetés par le grand maréchal"*.

**Historique :** *1817, comtesse Bertrand, née Fanny Dillon (1785-1836) ; vente, Versailles, hôtel Rameau, 15 juin 1983, n° 96.*
**Exposition :** *2003, Sao Paulo, n° 148 E.*
**Archives de la manufacture de Sèvres :** *Vj' 17.*

**[n° 113]** "Molke" *(pour l'abbaye de Melk) 1808. Marques : en creux : T [J. Thion père, tourneur], 7 [1807]. En noir : 2 L affrontées, n° 67. Signée "Swebach" - Porcelaine dure - D. 24 cm Paris, Fondation Napoléon, inv. 415 (donation Lapeyre)*

De janvier à mars 1808, Swebach peint cette assiette pour 200 F. C'est Denon qui lui fournit en janvier une vue de l'abbaye autrichienne de Melk, élevée au bord du Danube, réalisée par un des nombreux artistes qu'il envoie suivre l'Empereur dans ses campagnes. Cette vue rappelait à Napoléon qu'il y avait passé la nuit du 28 au 29 décembre 1805.

**Historique :** *vente, Paris, Hôtel Drouot, 27 mai 1964, n° 66 D.*
**Exposition :** *2003, Sao Paulo, n° 148 F.*
**Archives de la manufacture de Sèvres :** *Vj' 15.*

**[n°114]** "Fête donnée à Venise"
*1808-1809. Marques : en creux : cc [C. Choulet, tourneur], 9 [1809]. En noir : 2 L affrontées, n° 8 Porcelaine dure - D. 24 cm - Paris, Fondation Napoléon, inv. 792 I (donation Lapeyre)*
Lebel commence la peinture de cette assiette en octobre 1808 pour la terminer en avril 1809 et il reçoit 180 F pour ce travail. Il a copié la peinture de Giuseppe Borsato (1770-1849) représentant "L'entrée de Napoléon Ier à Venise le 29 novembre 1807" qui appartenait personnellement à Vivant Denon (Rome, musée Mario Praz).
**Historique :** *vente, Paris, Hôtel Drouot, 27 mai 1964, n° 66 B.*
**Exposition :** *2003, Sao Paulo, n° 148 H.*
**Archives de la manufacture de Sèvres :** *Vj' 15, 16.*

**[n° 115]** "Régate de Venise"
*1808. Marques : en creux : DC [C. Descoins, tourneur], 8 [1808]. En noir : 2 L affrontées, n° 59 Porcelaine dure - D. 24 cm - Paris, Fondation Napoléon, inv. 792 D (donation Lapeyre)*

L'assiette a été peinte par Robert en août 1808 pour 110 F. Il se servit également du tableau de Borsatto figurant la "Régate sur le Grand Canal en l'honneur de Napoléon Ier le 2 décembre 1807" appartenant aussi à Denon (Rome, musée Mario Praz).

**Historique :** *vente, Paris, Hôtel Drouot, 27 mai 1964, n° 66 A*
**Exposition :** *2003, Sao Paulo, n° 148 I*
**Archives de la manufacture de Sèvres :** *Vj' 15*

**[n°117]** "Carte de France"
*1807-1808. Marques : en creux : A, DC [C. Descoins, tourneur], 7 [1807]. En noir : 2 L affrontées, n° 62 - Porcelaine dure - D. 24 cm Paris, Fondation Napoléon, inv. 792 L (donation Lapeyre)*

Imprimée en novembre et décembre 1807 pour 24 F par François Gonord (1757-1822), actif comme imprimeur de 1807 à 1818 ; il avait mis au point un procédé permettant d'agrandir ou de réduire des gravures en vue de les imprimer sur un support de porcelaine et cette assiette fait partie des premières réalisées à Sèvres selon cette technique. Pierre-Louis Micaud, dit Micaud fils, en exécute le trait en bordure en mars 1808 pour 6 F.

**Historique :** *vente, Versailles, hôtel Rameau, 15 juin 1983, n° 96.*
**Exposition :** *2003, Sao Paulo, n° 148 G.*
**Archives de la manufacture de Sèvres :** *Vj' 14, 15.*

**[n° 116]** "Vue de l'obélisque élevé sur le mont Genèvre"
*1808. Marques : en creux : LD [L. Davignon, tourneur], 7 [1807]. En noir : 2 L affrontées, n° 29 Porcelaine dure - D. 24 cm - Paris, Fondation Napoléon, inv. 792 B (donation Lapeyre)*

Robert a peint cette assiette en août 1808 pour 60 F. Le dessin, envoyé à Sèvres le 24 juillet 1808, avait été commandé à Pierre Palmieri, fils d'un professeur de dessin de Turin ; le remboursement des frais s'éleva à 300 F. L'obélisque marquait l'ouverture de la nouvelle route vers l'Italie par le Mont Genèvre.

**Historique :** *vente, Versailles, hôtel Rameau, 15 juin 1983, n° 96.*
**Exposition :** *2003, Sao Paulo, n° 148 K.*
**Archives de la manufacture de Sèvres :** *Vj' 15.*

**[n° 118]** "Préfecture de Napoléon"
*1808. Marques : en creux : T [J. Thion père, tourneur], 7 [1807]. En noir : 2 L affrontées, n° 6 Porcelaine dure - D. 24 cm - Paris, Fondation Napoléon, inv. 792 K (donation Lapeyre)*
Pour 200 F, Swebach peint cette assiette de juillet à septembre 1808. Deux dessins de la nouvelle préfecture sont envoyés à Sèvres par le préfet de la Vendée le 2 juin 1808 ; ils représentaient les deux façades du bâtiment afin que le directeur de Sèvres, Alexandre Brongniart, puisse choisir la vue qui l'intéressait le plus.

**Historique :** *vente, Paris, Hôtel Drouot, 20 mai 1963, n° 53 ; vente, Paris, hôtel Drouot, 17 mai 1965, n° 91 A.*
**Exposition :** *2003, Sao Paulo, n° 148 L ; 2004, La Roche-sur-Yon, n°235.*
**Archives de la manufacture de Sèvres :** *Vj' 15.*

**[n°119]** "Vue des Tuileries et de la rue de Rivoli "
*(1ère version) 1808-1809. Marques : en rouge : M Imple/ de Sevres/ 8. VD. [P.J.B. Vandé fils aîné, doreur]. En vert : D.2.5. En doré : M.f. [P.L. Micaud fils, doreur]. En brun : Br. Arch. [Brongniart, architecte] ; Alex. Br. [Alexandre Brongniart]. Porcelaine dure - D. 24 cm - Paris, Fondation Napoléon, inv. 792 M (donation Lapeyre)*
Lebel reçoit en octobre 1809 100 F pour l'ébauche de l'assiette et touche le solde de 15 F en mars 1809. Les figures sont peintes par Swebach en octobre 1808. C'est Pierre-Joseph Petit, peintre à la Sorbonne, qui réalise pour 100 F le dessin à la sépia représentant le palais des Tuileries vu du côté de la rue de Rivoli. Livrée avec le reste du service aux Tuileries le 27 mars 1810, cette assiette, avec trois autres, est envoyée comme cadeau dès juillet 1810 par Napoléon à ses beaux-parents, l'empereur et l'impératrice d'Autriche. Brongniart doit donc la faire refaire par Lebel en 1811. Ceci explique qu'elle ait conservé au dos son inscription d'origine qui n'a pas été meulée sur ordre de Louis XVIII. La deuxième version, conservée au musée de Fontainebleau et livrée le 30 janvier 1812, suivit les autres assiettes à Sainte-Hélène.

**Historique :** *1810, François Ier empereur d'Autriche (1768-1835) et son épouse Marie-Ludovika d'Autriche-Este (1787-1816) ; famille de Habsbourg ; acquis par M. Lapeyre à Paris, 1982.*
*Exposition : 2003, Sao Paulo, n° 148 M.*
**Archives de la manufacture de Sèvres :** *Vj' 15, 16.*

**[n° 120]** "L'orangerie du Jardin des Plantes"
*(1ère version) 1808. Marques : en creux : L [L. Pétion père, tourneur] ; 8 [1808]. En rouge : M Imple/ de Sevres/ 8. VD. [P.J.B. Vandé fils aîné, doreur]. En vert : D.I. En brun : Br. Arch. [Brongniart, architecte] ; Alex. Br. [Alexandre Brongniart] - Porcelaine dure - D. 24 cm - Paris, Fondation Napoléon, inv. 792 F (donation Lapeyre)*
Elle a été peinte pour 100 F par Lebel en juillet et août 1808 d'après un dessin de Pierre-Joseph Petit livré à la manufacture en juin 1808 (100 F). Elle fait partie des quatre assiettes offertes par Napoléon à ses beaux-parents, ce qui oblige Brongniart à la faire refaire en 1811 (Fondation Napoléon, inv. 414).

**Historique :** *1810, François Ier empereur d'Autriche (1768-1835) et son épouse Marie-Ludovika d'Autriche-Este (1787-1816) ; famille de Habsbourg ; vente, Paris, Hôtel Drouot, 27 mai 1964, n° 66 C ; acquis par M. Lapeyre à Zurich, 1984.*
**Exposition :** *2003, Sao Paulo, n° 148 O.*
**Archives de la manufacture de Sèvres :** *Vj' 15.*

**[n°121]** "L'orangerie du Jardin des Plantes"
*(2ème version) 1811. Marques : en creux : S [S. Dupin, tourneur] ; 8 [1808]. En noir : 2 L affrontées, n° 19 - Porcelaine dure - D. 24 cm - Paris, Fondation Napoléon, inv. 414 (donation Lapeyre)*
Peinte en avril 1811 par Lebel pour 100 F, comme pour la première version, cette assiette remplace la précédente envoyée à Vienne sur ordre de Napoléon. Elle est livrée le 30 janvier 1812 pour compléter le service des Tuileries. Elle accompagna donc l'Empereur à Sainte-Hélène. Il est intéressant que la collection expose les deux versions du même sujet.

**[n°122]** "Le Pont d'Austerlitz"
*1808. Marques : en creux : DC [C. Descoins, tourneur], 8 [1808]. En noir : 2 L affrontées, n° 44 Porcelaine dure - D. 24 cm - Paris, Fondation Napoléon, inv. 416 (donation Lapeyre)*
L'assiette a été peinte pour 95 F en juin et juillet 1808 par Lebel, d'après un dessin exécuté par Pierre-Joseph Petit pour 100 F.

**Historique :** *vente, Paris, Hôtel Drouot, 9 décembre 1964, n° 50 B.*
**Exposition :** *2003, Sao Paulo, n° 148 P.*
**Archives de la manufacture de Sèvres :** *Vj' 15.*

**[n° 123]** "Vue de St Cyr"
*1808. Marques : en creux : DC [C. Descoins, tourneur], 7 [1807]. Traces de marque en rouge : M Imple/ de Sevres/ 8. En noir : 2 L affrontées, n° 24 - Porcelaine dure - D. 24 cm - Paris, Fondation Napoléon, inv. 792 E (donation Lapeyre)*
Peinte en janvier 1808 par Lebel pour 110 F d'après une gravure ancienne.

**Historique :** *acquis en 1973.*
**Exposition :** *1999, Versailles, n° 50 ; 2002, Paris, sans n° ; 2003, Sao-Paulo, n° 148 R.*
**Archives de la manufacture de Sèvres :** *Vj' 15.*

**[n°124]** "Vue du Palais I.le et R.le de St Cloud prise de la rive droite de la Seine" *(1ère version) 1808. Marques : en creux : A, DC [C. Descoins, tourneur], 7 [1807]. En rouge : M Imple/ de Sevres/ 8. En vert : 26.H - Porcelaine dure - D. 24 cm - Paris, Fondation Napoléon, inv. 417 (donation Lapeyre)*
Lebel peint la première version de cette assiette en janvier 1808 pour 110 F. Livrée avec le reste du service le 27 mars 1810, l'Empereur l'offre dès juillet 1810, avec trois autres assiettes, à ses beaux-parents, l'empereur et l'impératrice d'Autriche. Ceci explique qu'elle ait conservé au dos son inscription d'origine qui n'a pas été meulée sur ordre de Louis XVIII. Elle est remplacée dans le service par une autre version livrée le 30 janvier 1812, peinte aussi par Lebel en 1811, et qui figura à Sainte-Hélène (musée de Fontainebleau).

**Historique :** *François Ier empereur d'Autriche (1768-1835) et son épouse Marie-Ludovika d'Autriche-Este (1787-1816) ; acquis par M. Lapeyre à Zurich, 1984.*
**Exposition :** *2003, Sao Paulo, n° 148 S.*
**Archives de la manufacture de Sèvres :** *Vj' 15.*

**[n°125]** "La Manufacture Impériale de Porcelaine de Sèvres" *(1ère version)*
*1808. Marques : en creux : S [S. Dupin, tourneur] ; 7 [1807]. M Imple/ de Sevres/ 8. - En vert : 30-31 - Porcelaine dure - D. 24 cm - Paris, Fondation Napoléon, inv. 792 J (donation Lapeyre)*
Robert peint cette assiette pour 120 F en février et mars 1808, tandis que Micaud fils réalise le trait en or en relief pour 14 F en avril. Livrée avec le reste du service aux Tuileries, cette assiette est donnée par Napoléon à ses beaux-parents, l'empereur et l'impératrice d'Autriche en juillet 1810. Elle est aussitôt remplacée par une seconde version, peinte également par Robert, qui fut livrée le 30 janvier 1812, et qui fut envoyée à Sainte-Hélène.

**Historique :** *François Ier empereur d'Autriche (1768-1835) et son épouse Marie-Ludovika d'Autriche-Este (1787-1816) ; vente, Berne, Galerie Jürg Stuker, 18 novembre 1983, n° 382 .*
**Exposition :** *2003, Sao Paulo, n° 148 N.*
**Archives de la manufacture de Sèvres :** *Vj' 15.*

**[n°126]** Hémon Gaînier à Paris "boîte servant à transporter les assiettes 1810" (non reproduite au catalogue) *Maroquin vert, peau de chamois, soie - H. 26 ; L. 30 ; P. 28 cm - Paris, Fondation Napoléon, inv. 792 N (donation Lapeyre)*
Six boîtes semblables servaient à transporter les assiettes du service particulier de l'Empereur. Chaque boîte peut contenir douze assiettes, chacune étant séparée par un disque de peau de chamois retenu par quatre cordons rouges réunis par un pompon. Cinq boîtes ont été emportées à Sainte-Hélène et portent encore les traces du sceau impérial apposé à Longwood en 1821. Marchand rappelle dans ses Mémoires *"On avait apporté de Paris un très beau service de porcelaine de Sèvres pour l'usage de l'Empereur chaque douzaine était enfermée dans des caisses de maroquin doublées en peau."* **B.C.**

Les Campagnes

# Les Campagnes

La grande œuvre civile, administrative, juridique ou sociale de Napoléon n'a pas effacé le souvenir du "Dieu de la Guerre", comme disait Clausewitz. Voici quelques remarquables témoignages de ces campagnes et de ces guerres.

La bataille de Marengo, du 14 juin 1800, est ici évoquée à travers deux tableaux très différents. Le premier, une toile de grand format exécutée par Joseph Boze, Robert Lefèvre et Carle Vernet, *Le général Bonaparte et son chef d'état-major le général Berthier*, met en scène les portraits en pied des deux chefs de guerre devant la bataille, tandis que le second, *La Bataille de Marengo* par Swebach-Desfontaines, est une petite composition très fouillée, témoignant avec force détails de la vie d'une armée en campagne.

Des séries de dessins de Pierre-Nolasque Bergeret et d'Alexandre-Evariste Fragonard célèbrent les épisodes glorieux des campagnes de 1805, 1806 et 1807 tandis que des sabres d'officiers, dont une arme de luxe offerte par le Premier Consul au général Michel Ney entourent le symbole de la Grande Armée, une aigle de drapeau, rare modèle dit "des Cent-Jours", qui tremble encore d'avoir vu "la fuite des Géants" à la bataille de Waterloo.

**T.L.**

# Projets pour le Corps législatif

[n° 127 à 130]

Pierre-Nolasque Bergeret (1782-1863)

[n° 127]

## Réception de l'Ambassadeur de la Sublime Porte près la cour de Prusse

*Signé en bas à gauche :* "Bergeret inv. f."
*Annoté au dos :* "Réception de l'ambassadeur près de la Cour de Prusse. Série K n°40-S-10 n°23"

*Plume, encre brune, lavis brun sur traits de crayon*

*H. 20 ; L. 74 cm*

*Paris, Fondation Napoléon inv. 854 a, (donation Lapeyre)*

Les campagnes militaires de 1805 en Allemagne, de 1806 en Prusse et de 1807 en Pologne, couronnées de victoires, ont fourni nombre de sujets pour les commandes officielles (cat. n° 133 à 136 ). Elève de Vincent et de David, Pierre-Nolasque Bergeret figure parmi les artistes qui en illustrèrent les hauts faits. C'est à lui que Vivant Denon demanda les dessins de la frise de bas-reliefs de la colonne Vendôme, encore à lui que Brongniart s'adressa pour les dessins et peintures du vase d'Austerlitz (dépot du musée de Malmaison au musée de Versailles) ou de la colonne de la campagne d'Allemagne (musée de Versailles). Après 1810, Bergeret exécuta une série de projets pour un décor en bas-reliefs au palais du Corps législatif, devenu depuis le palais Bourbon. Le programme, qui retraçait les campagnes d'Italie et de Prusse, fut abandonné en raison des événements historiques. Ces quatre études appartiennent à cet ensemble connu par d'autres dessins datés de 1812 et de 1813, de même technique et de même dimension, conservés au musée du Louvre et au musée Dobrée de Nantes.

**K.H.**

**Historique :** *collection Vivant Denon ; collection Ney, prince de la Moskowa ; vente, Paris, Drouot, 18 juin 1970, n°3 ; vente, Monte-Carlo, 12 décembre 1982, n°82 (acquis par Martial Lapeyre).*
**Expositions :** *Sao Paulo, 2003, n°2.*
**Bibliographie :** *1981, Paris, pp. 23-24.*

[n° 128]

## Entrée des Français à Varsovie

*Signé en bas à droite :* "Bergeret inv. f. 1813"
*Annoté au crayon en bas à gauche:* "Série O n°81. Entrée à Varsovie"

*Plume, encre brune, lavis brun sur traits de crayon*

*H. 19,5 ; L. 71 cm*

*Paris, Fondation Napoléon inv. 854 b, (donation Lapeyre)*

[n°129]

## Entrée de l'Empereur à Berlin

*Signé en bas au milieu :* "Bergeret inv. f."
*Annoté au dos :* "Entrée de l'Empereur à Berlin. Série K n° 39-0-10, n°15"

*Plume, encre brune, lavis brun sur traits de crayon*

*H. 20 ; L. 74 cm*

*Paris, Fondation Napoléon inv. 854 c, (donation Lapeyre)*

[n°130]

## Combat entre les troupes françaises et autrichiennes

*Plume, encre brune, lavis brun sur traits de crayon*

*H. 19,5 ; L. 71 cm*

*Paris, Fondation Napoléon, inv. 854 d, (donation Lapeyre)*

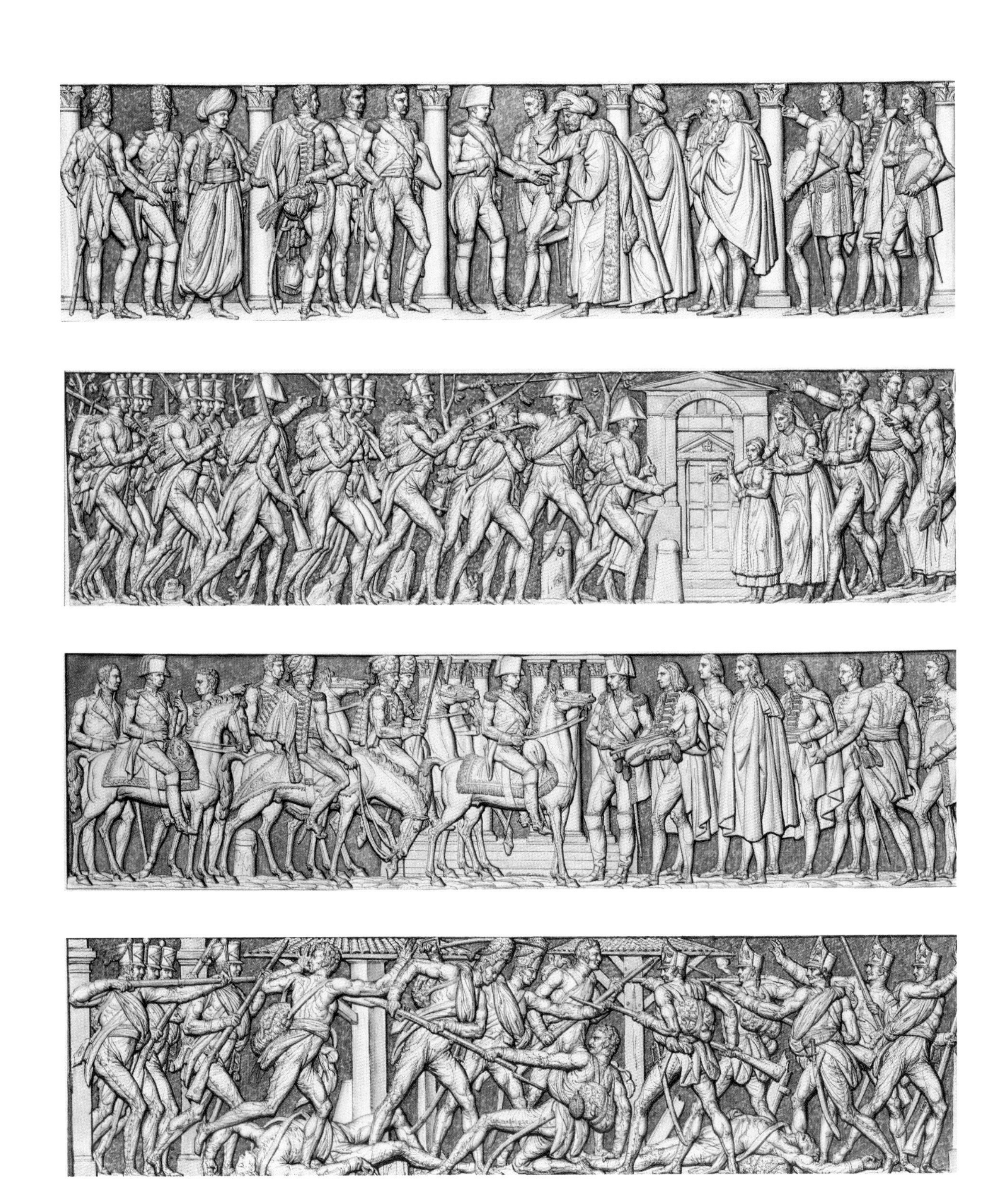

# La bataille de Marengo

[n° 131]

La victoire de Marengo fut célébrée par une pléthore d'œuvres, commandes de tableaux et de sculptures relevant de la propagande officielle ou initiatives privées d'artistes soucieux de s'attirer les bonnes grâces du vainqueur et nouveau maître de la France. C'est à la seconde catégorie qu'appartient cette grande toile exécutée sans doute peu de temps après la bataille du 14 juin 1800. Dès son achèvement, elle fut exposée par Joseph Boze à Amsterdam et à Londres, l'artiste se présentant comme l'unique auteur de la composition. Quand la nouvelle parvint en France, une violente polémique s'ensuivit dans les journaux. Déniant la paternité du tableau à Boze, le peintre Robert Lefèvre s'insurgea dans le *Moniteur Universel* en date du 11 thermidor an IX (31 juillet 1801) : *"Lorsque je composai et exécutai pour le citoyen Boze un tableau représentant Bonaparte et le général Berthier avec leurs chevaux tenus par un hussard, je crus que ce citoyen n'avait d'autre intention que celle de se procurer un de mes ouvrages, et j'étais loin de penser qu'il l'exposerait publiquement sous son nom en Hollande et en Angleterre. Je cède au désir des artistes mes confrères, qui me font un devoir de relever cette imposture, moins pour revendiquer l'honneur qui peut me revenir de l'exécution de ces deux portraits, et à Carle Vernet de celle de la bataille qu'il a représentée dans le lointain du tableau, que pour prémunir le public contre ce nouveau genre de charlatanisme".* C'est l'épouse du peintre, la citoyenne Boze, qui se chargea de la défense de son mari, réfutant les accusations et confirmant ce dernier comme "l'auteur du plan, du dessin et de l'exécution des principaux personnages". Dans sa réponse, Robert Lefèvre cite plusieurs témoins, Carle Vernet bien sûr, mais aussi Guérin, Landon, Mérimée ou Van Dael, pouvant attester du contraire. Le conflit semble s'arrêter là, du moins publiquement, et le tableau resta entre les mains de Boze.

Portraitiste de Louis XVI et de la famille royale, Boze tenta peut-être cette supercherie pour sortir de l'oubli après la tourmente révolutionnaire qui lui fit passer plusieurs mois en prison et connaître ensuite l'exil. Le scandale passé, il retomba dans l'anonymat avant de reprendre quelques activités sous la Restauration. Abus de confiance ou rivalité d'artistes, la querelle avec Robert Lefèvre conserve son mystère. La collaboration semble pourtant réelle - les deux artistes avaient l'habitude avant la Révolution de travailler ensemble sur des portraits en pied -, et les visages de Bonaparte et de Berthier portent indéniablement la pâte de Boze. La part de Carle Vernet semble plus conséquente aussi que la scène de bataille, d'ailleurs inachevée, reconnue par Robert Lefèvre. Le beau groupe des chevaux et du hussard lui doit beaucoup. Une certitude enfin dans ce tableau qui n'a pas fini de livrer ses secrets, la jument à la robe baie a été identifiée. Il s'agit de *La Belle*, effectivement montée par Bonaparte lors de la bataille de Marengo, qui avait la faveur des artistes et fut utilisée comme modèle à de multiples reprises, notamment par David pour l'une des versions du célèbre Passage du Grand-Saint-Bernard.

**K.H.**

**Historique :** *Victoire Boze, veuve du peintre ; Institut des jeunes aveugles ; acquis par le musée Grévin en 1898 ; vente, Paris, Galerie Charpentier, collections du musée Grévin, 12 mars 2002, n°127.*

**Bibliographie :** Le Moniteur Universel, *11, 17 et 18 Thermidor an IX pp.1286, 1310, 1314 ; Lavallet, 1902, p.36, p.42 ; Herbin-Devedjian, 1981-1983, pp. 162-163 ; Osché 2002, p. 53-54.*

**Gravé par :** *Cardon d'après Boze.*

Joseph Boze
(1745-1825),

Robert Lefèvre
(1755-1830),

Carle Vernet
(1758-1836)

Le général Bonaparte et son chef d'état-major le général Berthier à la bataille de Marengo

*1800 - 1801*

*Huile sur toile*

*Signé en bas à droite* Boze

*H. 289 ; L. 232 cm*

*Paris, Fondation Napoléon, inv.1164 (acquisition 2002)*

# La bataille de Marengo

[n° 132]

Swebach fut le chroniqueur de la vie quotidienne des armées napoléoniennes en campagne. Marches des troupes, haltes de soldats et de cavaliers, vivandières, bivouacs, campements, convois de matériel et de vivres ont été les sujets de prédilection de l'artiste. Les guerres révolutionnaires lui permirent d'exercer très tôt son talent de dessinateur, croquant sur le vif, au crayon ou à la plume, des scènes reprises ensuite au lavis ou à l'aquarelle. Leur valeur documentaire en fit une source importante pour les estampes publiées dans les *Tableaux historiques de la Révolution française*. Les campagnes napoléoniennes lui offrirent ensuite de multiples sujets et, délaissant pour un temps l'anecdote militaire, il tenta une incursion dans la peinture d'histoire avec la représentation de batailles. C'est ainsi qu'il exposa au Salon de l'an X (1802) deux toiles, *La Bataille de Maringo* (sic), *la Bataille de Zurich*, et une esquisse peinte, *La bataille du Mont-Thabor* (n° 267, 268 et 269 du livret). Deux de ces tableaux - Marengo et Mont-Thabor - plurent au Premier Consul qui demanda à Vivant Denon d'en faire l'acquisition. Sans doute ces deux œuvres avaient-elles déjà été vendues car rien n'indique que Denon ait pu les acquérir. Les batailles de Marengo et de Zurich ont réapparu en 1995 (vente, Paris, Hôtel Drouot, 3 avril 1995, n°24).

Pour la toile du Salon de 1802, Swebach avait figuré un épisode précis des combats - l'arrivée de Bonaparte au moment de l'explosion d'un caisson, la charge de Kellermann et la mort de Desaix - soit le sujet dépeint par Lejeune dans son grand tableau présenté au Salon de 1801, à nouveau exposé en 1802 en raison de son succès. La bataille de Marengo présentée ici est antérieure au tableau du Salon de 1802. Signée de 1801, cette huile sur panneau révèle tout le talent de l'artiste, capable dans un format réduit de donner de l'ampleur à une vaste composition, un remarquable paysage dans lequel s'ordonne harmonieusement une multitude de groupes traités avec minutie. Alors que le déroulement de la bataille est rejeté au lointain, un convoi d'artillerie et de ravitaillement en mouvement se déploie au premier plan à gauche. A droite, devant une troupe de dragons filant au galop, le Premier Consul sur son cheval cabré donne ses ordres à un état-major bien flegmatique. La belle exécution de l'ensemble, la précision du dessin et la finesse de la touche font de ce petit tableau un chef-d'œuvre.

La figure équestre de Bonaparte servit de modèle à Swebach pour le dessin de *La bataille de Friedland*, gravé par Pigeot, dans les *Campagnes des Français sous le Consulat et l'Empire,* album rassemblant cinquante-deux batailles et cent portraits de maréchaux et de généraux, réalisé en collaboration avec Carle Vernet. En 1803, Swebach peignit à nouveau la bataille de Marengo pour la manufacture de Sèvres, sur une assiette (dépôt du musée de Sèvres au musée de Malmaison) et sur un plateau (musée de l'Ermitage), deux œuvres qui figuraient dans les collections de l'impératrice Joséphine.

**K.H.**

**Historique :** *vente, Paris, Hôtel Drouot, 19 mai 1911, n°27 ; vente Paris, Palais Galliera, 24 octobre 1968, n°18 (acquis par Martial Lapeyre).*

**Bibliographie :** *André, 1904, p.376, pp. 491-492.*

Jacques-François-Joseph Swebach dit Swebach-Desfontaines (1769-1823)

La Bataille de Marengo

*Huile sur bois*

*Signé à droite à mi-hauteur :* Swebach 1801

*H. 48 ; L. 87 cm*

*Paris, Fondation Napoléon, inv.764 (donation Lapeyre)*

# Dessins pour le Corps législatif

[n° 133 à 136]

Alexandre-Evariste Fragonard (1780-1850)

[n° 133]

L'Entrevue des deux Empereurs sur le Niémen

*Crayon, lavis et aquarelle avec rehauts de gouache*

*1810*

*H.24 ; L. 62 cm.*

*Paris, Fondation Napoléon, inv.763 (donation Lapeyre)*

[n° 134]

La présentation au Corps Législatif des drapeaux pris aux Espagnols

*Crayon, lavis et aquarelle avec rehauts de gouache*

*1810*

*H.24 ; L. 62 cm.*

*Paris, Fondation Napoléon, inv.855 (donation Lapeyre)*

**E**lève de son père, l'illustre Jean-Honoré Fragonard (1732-1806), et de Jacques-Louis David, Alexandre-Evariste Fragonard fut un artiste complet et prolifique, peintre d'histoire et de genre, dessinateur, lithographe, ornemaniste et sculpteur, donnant de nombreux modèles pour les productions de la manufacture de Sèvres et pour la décoration des bâtiments officiels. Il travailla ainsi à plusieurs reprises pour les décors du palais du Corps législatif. C'est le 22 novembre 1806 que fut posée la première pierre de la nouvelle façade du bâtiment conçue par l'architecte Bernard Poyet sous forme d'un péristyle à douze colonnes corinthiennes. Le programme sculpté comportait un fronton exécuté par Antoine-Denis Chaudet, *L'Empereur présentant à la députation du Corps législatif les drapeaux enlevés aux champs d'Austerlitz,* et des bas-reliefs placés sous le portique et sur les arrière -corps. Ces quatre dessins de Fragonard sont les études préparatoires de ces bas-reliefs détruits, tout comme le fronton, en 1815. Présentés au Salon de 1810, ils figurent dans la liste des œuvres remarquées par Vivant Denon pensant "qu'une médaille de 3e classe peut être accordée à l'auteur, distingué comme dessinateur". La même année, travaillant pour Sèvres au projet d'une colonne de la campagne de Pologne, commandée par Napoléon à

Brongniart, Fragonard avait fourni deux esquisses peintes dont l'une figurait déjà *L'entrevue des deux Empereurs sur le Niémen.* Pour le Corps législatif, l'artiste réalisera encore les dessins de bas-reliefs et de peintures en grisaille du vestibule et du salon de l'Empereur, une salle destinée à la réception des souverains, décoration en partie détruite ou masquée ensuite par un faux plafond, ainsi qu'un fronton en plâtre qui remplaça celui de Chaudet en 1816, finalement détruit en 1830.

**K.H.**

**Historique :** *dessins pour des bas-reliefs du Corps législatif ; acquis par Martial Lapeyre à Paris en 1981.*

**Expositions :** *Salon de 1810, n°320, 321, 322, 323 ; 1939, New York, n° 324 ; Sao Paulo, 2003, n°3.*

**Bibliographie :** *Palais Bourbon... 1898, pp. 42-43 ; Biver, 1963, p. 215, p. 221 ; 1981, Paris, pp. 23-24.*

**Gravé :** *n° 136 et n°138 par Jorand, dans* Recueil des peintures et des sculptures, faites au corps législatif, sous la direction de M. Poyet, *Paris, Decle, 1811.*

**Archives nationales :** *F[13] 1071 ; AF IV 1050 dr 6 n°7c.*

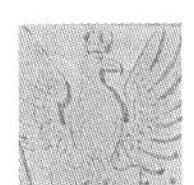

[n° 135]

## S.M. l'Empereur visitant le tombeau du grand Frédéric

*Signé en bas au milieu :* "fragonard." *Crayon, lavis et aquarelle avec rehauts de gouache*

*1810*

*H.24 ; L. 62 cm.*

*Paris, Fondation Napoléon, inv.413 (donation Lapeyre)*

[n° 136]

## La Bataille d'Austerlitz

*Crayon, lavis et aquarelle avec rehauts de gouache*

*1810*

*H.24 ; L. 62 cm.*

*Paris, Fondation Napoléon, inv.768 (donation Lapeyre)*

Manufacture
de Versailles

Sabre de luxe offert par le
Premier Consul au général Ney

*1801*

*Acier, laiton doré,
bois, basane, cuir*

*L. 96 cm*

*Paris, Fondation Napoléon,
inv. 1114 (donation Lapeyre)*

# Sabre de luxe

[n° 138]

Ce modèle atypique - garde "à l'allemande", lame et fourreau "à l'orientale" - est un curieux montage dont l'origine est incontestable et qui réunit les deux styles à la mode au début du Consulat. La garde de ce sabre possède une branche simple en laiton doré dont la face interne porte l'inscription "Le 1er Consul au général Ney". Le pommeau ovale est décalé par rapport à la poignée, élément caractéristique du sabre "à l'allemande". Cette poignée est en bois recouverte de basane noire avec un filigrane d'argent. Au milieu de la croisière figure les oreillons rectangulaires décorés du foudre de Jupiter qui, à cette époque, symbolise le commandement, mais qui deviendra dans un proche avenir l'emblème des Etats-Majors.

Cette garde finement ciselée est montée sur une très belle lame orientale du type "Pala" en acier damassé à décors épigraphiques en application d'or ; dans un cartouche se lit une devise coranique louant Dieu, dans un macaron figure la signature du fourbisseur : Moissa Farah.

Pendant la campagne d'Egypte, un effet de mode avait voulu que les officiers français adoptent des armes orientales. Ces sabres s'obtenaient soit par "prise" au combat, contre les fameux cavaliers mamelucks, soit tout simplement, par la voie du négoce dans les souks du Caire. Toujours est-il qu'un grand nombre de ces sabres ou des lames furent ramenés d'Egypte dans les bagages des officiers républicains. C'est ainsi que la manufacture d'armes de Versailles put se procurer quelques exemplaires de ces lames qu'elle utilisa pour réaliser en nombre limité des armes de luxe ou de récompense destinées à de hautes personnalités militaires.

Le fourreau a été spécialement fabriqué pour cette lame, les attelles de bois sont recouvertes d'un chagrin noir, les trois garnitures de laiton doré ; chape, bracelet et bouterolle sont ciselés de motifs floraux décoratifs. Enfin sur la partie interne de la chape figure l'inscription "Manufacture de Versailles".

Il est très probable que cette arme ait été offerte au général Ney à la suite de la bataille de Hohenlinden le 3 décembre 1800 pendant laquelle il avait montré une grande bravoure. Le général Ney devint maréchal le 19 mai 1804.

**C.Bl.**

**Historique :** *offert par Napoléon à Ney ; collection du prince de la Moscowa. ; vente, Paris, Hôtel Drouot, 22 avril 1983, (acquis par Martial Lapeyre).*

**Exposition :** *2003, Sao Paulo, n° 8 ; 2004, Boulogne-sur-Mer, sans n° ; 2004, La Baule, sans n°.*

**Bibliographie :** *Bottet, 1903.*

# Sabre d'aide de camp

|n° 139|

Ce sabre est d'un modèle très particulier, à branche simple en laiton doré avec motif de protection en écusson représentant un bouclier à l'antique décoré d'un soleil à visage humain.
La poignée est en laiton doré avec filigrane, le pommeau en casque antique (rappelons que depuis le Directoire les symboles néo-classiques sont très à la mode). La croisière est décorée de l'emblème des aides de camp. La lame à pan creux n'est probablement pas d'origine.
Le chagrin qui recouvre le fourreau en bois a été remplacé à une époque indéterminée ; en revanche, les garnitures en laiton doré sont bien d'origine. A ce sujet il faut remarquer la précision avec laquelle le dard en fer est fixé par les minuscules vis à l'extrémité de la bouterolle de laiton. Le fourbisseur de cette arme était certainement un émule du grand Boutet, alors directeur-artiste à la manufacture impériale d'armes de Versailles.
Malgré quelques modifications postérieures, cette pièce demeure un très beau sabre, probablement unique en son genre, et apporte le témoignage qu'un officier préférait parfois se procurer à ses frais une arme fantaisie, plutôt que de recevoir une arme réglementaire.

**C.Bl.**

**Historique :** *vente, Angers, 27 novembre 1968, n° 101 ; collection Martial Lapeyre.*

**Exposition :** *2003, Sao Paulo, n°10 ; 2004 Boulogne-sur-Mer, sans n° ; 2004, La Baule, sans n°.*

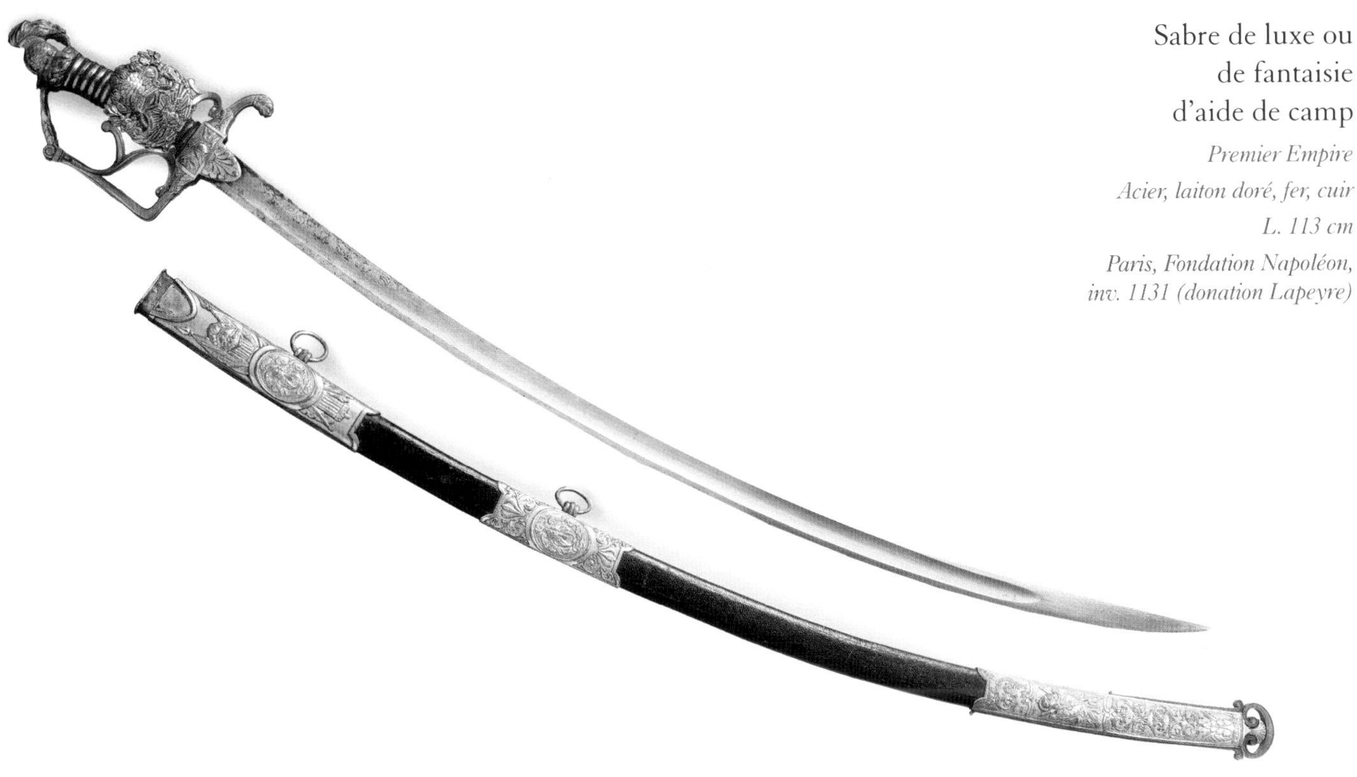

Sabre de luxe ou de fantaisie d'aide de camp

*Premier Empire*

*Acier, laiton doré, fer, cuir*

*L. 113 cm*

*Paris, Fondation Napoléon, inv. 1131 (donation Lapeyre)*

## Sabre d'officier de cavalerie

|n° 141|

Sabre d'officier de cavalerie légère

*Consulat-Empire*

*Acier, laiton doré, fer, cuir*

*L. 103 cm*

*Paris, Fondation Napoléon, inv. 537 (donation Lapeyre)*

Ce sabre est un modèle traditionnel assez répandu chez les officiers de hussards ou de chasseurs à cheval lesquels constituent la cavalerie légère. La monture est en laiton doré à branche simple et oreillons en navette décorés d'un glaive à l'antique avec feuillages. La lame courbe, bleuie et dorée au tiers, est décorée de motifs conventionnels : trophées d'armes et bouquets stylisés.

Le fourreau est en fer "bleui" à trois garnitures en laiton doré décorées de toiles d'araignée.

**C.Bl.**

**Historique :** *vente, Paris, Hôtel Drouot, 7 et 8 février 1980, n°83 (acquis par Martial Lapeyre).*

**Expositions :** *2003, Sao Paulo, n°11 ; 2004 Boulogne-sur-Mer, sans n° ; 2004, La Baule, sans n°.*

## Sabre d'officier d'état-major

|n° 142|

Sabre d'officier d'état-major de cavalerie de ligne

*Premier Empire*

*Acier, laiton doré, fer, cuir*

*L. 105 cm*

*Paris, Fondation Napoléon, inv. 80 (acquisition 1991)*

La cavalerie de ligne en opposition avec la cavalerie légère, comprend les dragons et les cuirassiers. Si le simple cavalier est armé d'un sabre à lame droite et garde à branches simples, les officiers ont opté pour un sabre devenu très à la mode depuis la fin de l'Ancien Régime : le fameux "garde de bataille" à protection en palmette ou "coquille Saint Jacques".
Réglementé pour tous les officiers de cavalerie (de ligne) par décision royale de 1779, le modèle voit le jour en 1782, et sera adopté à l'unanimité par les gradés, dragons et cuirassiers.
Depuis sa création et jusqu'à la fin de l'Empire, le sabre "à garde de bataille" apparaît sous quelques variantes, en laiton doré, ou cuivre argenté, avec grenade enflammée moulée ou rapportée sur la coquille.
On connaît un modèle porté par un général à la coquille décorée d'un masque de gorgone accompagné de deux étoiles. Le modèle présenté ici possède une coquille moulée avec le foudre de Jupiter, symbole des Etats-Majors. La lame étroite, est très légèrement courbe, le dos en "jonc" décorée à l'acide de motifs floraux et de trophées d'armes, le tout est doré au mercure. Le fourreau en fer est pourvu de trois garnitures de laiton gravées de motifs floraux stylisés.

**C.Bl.**

**Historique :** *vente, Paris, Hôtel Drouot, 1er octobre 1991, n°151.*

**Expositions :** *2003, Sao Paulo, n°10 ; 2004 Boulogne-sur-Mer, sans n° ; 2004, La Baule, sans n°.*

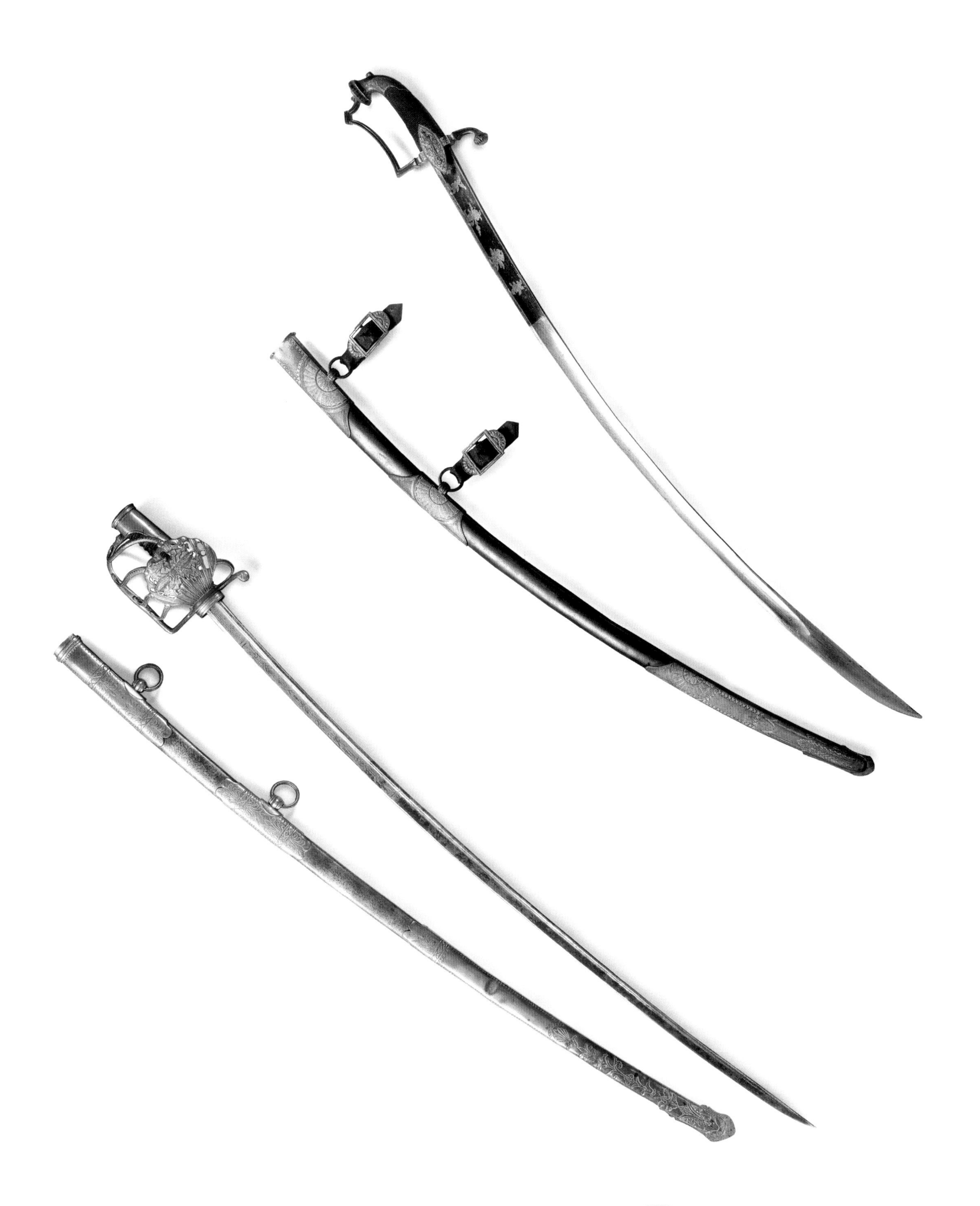

# Sabre d'officier général

[n° 140]

Manufacture
de Klingenthal

Sabre de luxe ou de fantaisie
d'officier général

*Epoque Consulat*

*Acier, laiton doré,
fer, cuir, ébène*

*L. 103 cm*

*Paris, Fondation Napoléon,
inv. 541 (donation Lapeyre)*

**A**lors que sous l'ancien régime, les officiers généraux affectionnent de porter l'épée, arme noble par excellence, les généraux de la Révolution, en revanche, avaient adopté le sabre, arme sans doute plus combative, comme le confirme l'instruction provisoire du 1er avril 1791.
A l'origine, le sabre de général n'a rien de règlementaire, il s'agit d'un modèle d'officier de cavalerie légère, donc à lame courbe, plus ou moins réalisé luxueusement car de fabrication privée, selon la bourse des commanditaires.
Le modèle présenté ici appartient à la catégorie du "grand luxe", qui a dû, en son temps, coûter à son propriétaire une forte somme d'argent. Cette arme a certainement appartenu à une des figures les plus populaires de la période consulaire, car, en effet, pour se permettre de parader avec un tel outil sur le côté, il fallait avoir les galons et les états de service qui vont avec. On pourrait, avec un peu de poudre de rêve, associer à cette arme quelques noms de guerriers prestigieux tels que Kleber, Hoche, Murat, Ney, Berthier... mais malheureusement, ce sabre nous est parvenu sans pedigree, les sources sont muettes, et laisse son propriétaire dans le plus parfait anonymat.
Les parties en laiton sont dorées, sablées et brunies à l'agate, la poignée est en ébène, le fourreau est en fer recouvert de chagrin. Les trois garnitures classiques de ce fourreau sont accompagnées de deux bracelets supplémentaires, ciselés en godron, ce qui n'est pas fréquent sur ce modèle. La lame a quatre pans creux en damas, bleuie et dorée, décorée de trophées et de signes du zodiaque, est signée de part et d'autres "Coulaux" à "Klingenthal".
Le règlement de Vendémiaire An XII essaiera de mettre un terme aux "fantaisies" des généraux en faisant naître un sabre plus sobre dans sa conception, mais cette mesure ne sera pas toujours respectée par les hauts gradés qui, en fait, continueront pour certains à parader encore jusqu'à la fin de l'Empire avec le sabre de leur jeunesse, celui de leurs premières gloires.

**C.Bl.**

**Historique :** *vente, Paris, Hôtel Drouot, 7 et 8 février 1980, n°84 (acquis par Martial Lapeyre).*

**Exposition :** *2003, Sao Paulo, n°9 ; 2004 Boulogne-sur-Mer, sans n° ; 2004, La Baule, sans n°.*

# Casque et cuirasse

[n° 143]

Les carabiniers tiraient leur nom de la carabine pour le service de laquelle ils avaient été formés en 1693. Avec le temps, la mission initiale de ces cavaliers s'était perdue et durant les premières années de l'Empire plus rien ne les différenciait des régiments de cavalerie lourde. Ils chargeaient comme les cuirassiers en masses compactes. Les pertes qu'ils subirent au cours de la dernière campagne déterminèrent Napoléon à signer le décret le 24 décembre 1809, au grand dam des intéressés : *"Nos deux régiments de carabiniers seront cuirassés. Il nous sera présenté un projet de cuirasse et de casque qui, en maintenant une différence entre les carabiniers et les cuirassiers, procurent cependant aux carabiniers le même avantage".*
Les carabiniers étaient très attachés au bonnet à poils et à l'uniforme bleu foncé qu'ils portaient depuis l'origine. Le ministre de la guerre, le général Clarke, rapporta à l'Empereur qu'ils jugeaient "intolérable qu'on les croie incapables de se battre sans protection". Néanmoins en 1811, ils furent habillés de blanc distingué de bleu céleste - ces couleurs auraient été choisies par l'Impératrice elle-même - et revêtirent le casque et la cuirasse.
La cuirasse en fer battu est recouverte d'une feuille de cuivre rouge laissant une bande de fer apparente garnie de clous en cuivre. Les deux pièces de la cuirasse sont bordées d'un bourrelet sauf autour du col où il se transforme en gouttière pour dévier un coup de pointe qui glisserait sur le plastron. La cuirasse est maintenue par une ceinture bleu ciel recouverte de galons d'argent et se fermant par une boucle argentée. Les deux épaulières bleu ciel sont ornées de têtes de lion et de chaînettes argentées, terminées par des mortaises ciselées et des cœurs bleu ciel brodées d'argent. D'une facture plus soignée que le modèle de troupe, la cuirasse d'officier s'en distingue par la couleur du cuivre, par les garnitures argentées et par la présence d'un ornement de plastron, étoile dorée au centre d'une gloire argentée. Elle est doublée d'une matelassure en grosse toile et ornée d'une garniture ou fraise de cuirasse en drap bleu foncé galonné d'argent.
Le casque est en cuivre rouge avec bandeau, jugulaires et soleil formant rosace, cercles de visière et de couvre-nuque en métal argenté. Les jugulaires sont terminées par un cordon et un gland d'argent. Le bandeau est orné d'une N couronnée et les rosaces d'une étoile, en cuivre rouge. Le cimier est surmonté d'une chenille écarlate.
Les deux régiments de carabiniers furent maintenus sans modifications jusqu'aux lendemains de Waterloo. Ils formèrent à nouveau le corps des carabiniers de Monsieur lors de la première Restauration. Ils furent dissous le 28 novembre 1815 avant d'être reconstitués en un seul régiment. La dissolution du régiment de carabiniers de la garde en 1870, à la chute du Second Empire, fit disparaître définitivement cette subdivision d'arme de l'ordre de bataille de l'armée française.

**C.B.**

*[non reproduit]*
Casque et cuirasse
d'officier de carabiniers
*1810-1815*
*Fer, cuivre*
*Paris, Fondation Napoléon,*
*inv. 77 (acquisition 1991)*

6

# Aigle de drapeau

[n° 144]

Fondues en bronze par Thomire d'après un dessin Chaudet, les aigles de drapeau furent distribuées au Champ-de-Mars, le 5 décembre 1804, cérémonie pendant laquelle le nouvel empereur fit prêter serment à son armée : *"Soldats, voilà vos drapeaux ! Ces aigles vous serviront toujours de point de ralliement ; elles seront partout où votre empereur jugera leur présence nécessaire pour la défense de son trône et de son peuple. Vous jurez de sacrifier votre vie pour les défendre, et de les maintenir constamment, par votre courage, sur le chemin de la victoire".*

Trois modèles ont été produits durant l'Empire. Le premier, celui de 1804, est le plus remarquable tant par son allure générale que par sa qualité de ciselure. Le second, modèle de 1810-1811 dit "allégé", fut l'occasion pour Thomire de réduire le poids jugé excessif du modèle de 1804. Enfin, le troisième modèle dit des Cent-Jours fut exécuté pour remplacer les aigles qui avaient été détruites lors de la première Restauration. La commande passée le 28 mars 1815 prévoyait un paiement de 95 F l'une si la fabrication en était achevée au 7 mai et de 90 F après cette date. D'une facture moins soignée, ces aigles fabriquées dans l'urgence présentent quelques différences avec les modèles précédents : attitude plus ramassée, ailes plus courtes, bec presque fermé. Les numéros des régiments sur les caissons sont ceux des anciennes aigles récupérés par le fondeur en charge de leur destruction et offerts à Napoléon lors de son retour à Paris. Alors que beaucoup furent brisées après la chute de l'Empire pour éviter d'être rendues, cette aigle du 6^e^ régiment de chasseurs à cheval fut sauvée par le colonel de Faudoas (1788-1844) qui servit dans l'armée du Nord en Belgique dans la deuxième division de cavalerie du lieutenant général Piré.

**K.H.**

**Historique :** *colonel Paul-Eugène de Faudoas-Barbazan ; la comtesse de Faudoas en fait don au musée de l'Armée en 1910 avec l'étendard du 6^e^ Chasseurs à cheval ; rendus aux héritiers par le général Niox ; acquis par Martial Lapeyre à Paris en 1980.*

**Exposition :** *2003, Sao Paulo, n°29.*

**Bibliographie :** *Mémoires du Lieutenant Henckens, La Haye 1909, p. 241.*

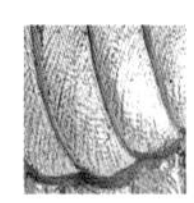

Aigle de drapeau du 6^e^ régiment de Chasseurs à cheval

*Modèle des Cent-Jours, 1815*

*Bronze doré*

*H. 30 cm*

*Paris, Fondation Napoléon, inv. 895 (donation Lapeyre)*

# Napoléon

[n° 140]

Carle Vernet s'initia à la peinture dans l'atelier de son père, le peintre Joseph Vernet (1714-1789), aux côtés de qui il siégea quelques mois à l'Académie Royale après sa réception en 1789 avec *Le Triomphe de Paul Emile*. Très affecté pendant la Révolution par la mort de sa sœur Emilie sur l'échafaud, il reprit une vie mondaine sous le Directoire avant de trouver, avec l'épopée napoléonienne, l'inspiration réelle de son œuvre. Collaborant en 1800 avec Robert Lefèvre à un double portrait de Bonaparte et de Berthier à la bataille de Marengo (cat. n° 131), il reçut la même année la commande d'un monumental tableau de cette bataille, qu'il achèvera seulement en 1810 (musée de Versailles). Nommé peintre du dépôt de la Guerre en 1806, il présenta au Salon de 1808 un Napoléon *donnant l'ordre avant la Bataille d'Austerlitz* et un *Portrait à cheval de S.M. l'Empereur* puis, au Salon de 1810, *Napoléon devant Madrid*, commande du Sénat et une *Bataille de Rivoli*, commande de Berthier.

Cavalier émérite, Vernet avait, de par sa parfaite connaissance des chevaux, une aisance particulière dans l'exécution des portraits équestres. C'est lui qui livre l'aquarelle placée en tête de la *Relation de la bataille de Marengo* représentant la remise de l'ouvrage par Berthier à Napoléon à cheval, le jour anniversaire du 14 juin 1805 (musée de Malmaison). Cette aisance se retrouve dans cette grande aquarelle de 1807 figurant l'Empereur au faîte de sa gloire. A l'arrière plan de la composition, quelques grands officiers dont Murat et Ney sont reconnaissables. La description précise de la monture et le luxe de détails du harnachement ont permis au peintre d'exprimer tout son talent. L'œuvre fut reproduite presque au même format, à l'aquatinte en couleurs, par Charles-François-Gabriel Levachez (actif de 1789 à 1830) sous le titre *Napoléon Empereur des Français, Roi d'Italie et protecteur de la Confédération du Rhin*.

**K.H.**

**Historique :** *acquis à Paris en 2000.*

**Exposition :** *2003, Sao Paulo, n°26.*

Antoine-Charles-Horace, dit Carle Vernet (1758-1836)

Napoléon Empereur des Français, Roi d'Italie et protecteur de la Confédération du Rhin

*Pierre noire, aquarelle et gouache, signé en bas à gauche* Carle Vernet 1807

*H. 88 ; L. 63,8 cm*

*Paris, Fondation Napoléon, inv. 1159 (acquisition 2000)*

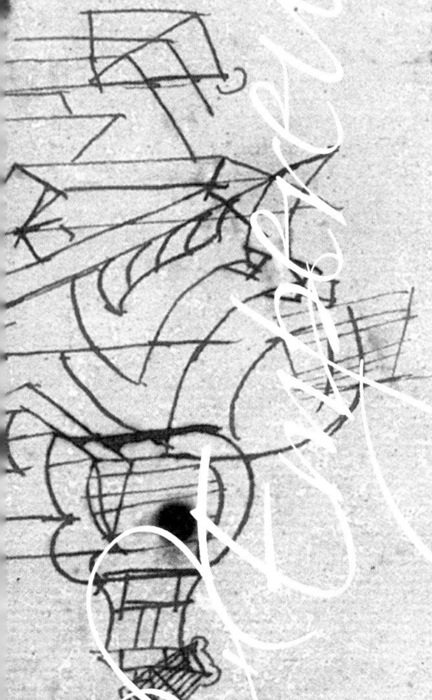

quand serez vous sage

When will ~~be~~ you be ~~wisdom~~ wise

jamais tant que je serai dans cette isle

never ~~ever~~ ~~than~~ ~~that~~ as long as j should be in this isle

mais je le deviendrai apres avoir parle la langue

but j shall become wises after ~~have~~ having spoked the

lorsque je debarquerai en france je serai tres content

~~[illegible]~~ When j shall ~~landed~~ land in france j schall be very con

ma femme viendra pres de moi mon fils sera grand et fort

mi ~~wife~~ wife shal come ~~after~~ ~~of~~ near mi mi sone shal be g

at diner j

ma mere sera vieille ~~[illegible]~~ ces soeurs ces dames

mi mother shal be olde mi sisters sch ce qui est

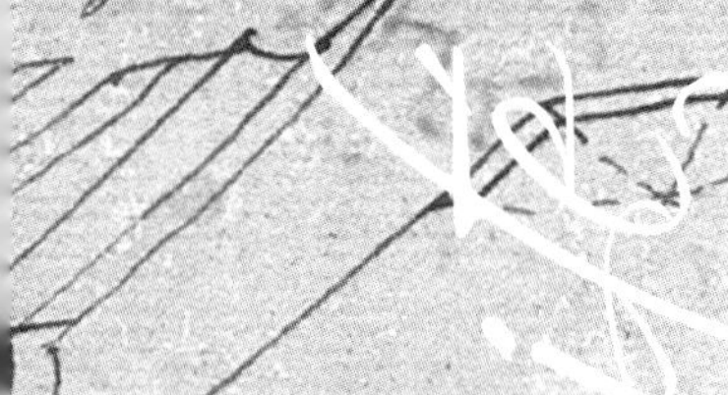

~~the that~~ which

jamais elles n'auront

never they have

write letter

you this letter

Who has brought you the letter

departed

is there

she

sorry of

# Dans l'intimité de l'Empereur

**Q**ui n'a pas rêvé de pénétrer un jour l'intimité du Grand Homme, évoquée plus haut par Jean Tulard ? Qui ne s'est pas imaginé poussant la porte de l'appartement privé ou de la maison de Longwood ? Au fond, pourra-t-on jamais faire mieux qu'approcher l'homme Napoléon ? Mais tout de même, on ne reste pas de marbre devant les émouvants souvenirs de Sainte-Hélène (vêtements, rare manuscrit autographe des leçons d'anglais qui lui furent données par le comte de Las Cases, petits reliquaires) ou d'autres, plus éclatants, qui portent en eux les traces d'un passé glorieux, celui que Napoléon se remémore dans l'exil : un magnifique fusil de chasse, ultime présent offert le 14 juillet 1815, juste avant de remettre son sort entre les mains des Anglais et, “comme Thémistocle, d'aller s'asseoir au foyer du peuple britannique”, ou son petit nécessaire d'hygiène dentaire, essentiellement composé d'outils à détartrer, qui rappelle le soin extrême que Napoléon portait à sa toilette, aspect intime sur lequel, comme en d'autres domaines, il était en avance sur son temps.

**T.L.**

# Nécessaire dentaire

[n° 145]

Napoléon attachait une attention particulière à son hygiène, soignant particulièrement sa dentition qu'il avait fort belle et blanche. Constant, son premier valet de chambre, note dans ses Mémoires qu' *"il se servait, pour ses dents, de cure-dents de buis et d'une brosse trempée dans de l'opiat"*. Chacun des nécessaires livrés par Biennais contenait une ou plusieurs brosses à dent, composées d'un manche en or ou en vermeil permettant la fixation d'une tablette de bois garnie de poils de sanglier. Le luxueux nécessaire présenté ici, exceptionnel pour l'époque, rassemble un ensemble d'instruments destinés à des soins dentaires plus délicats. Essentiellement composé d'outils à détartrer, il présente sur deux plateaux d'acajou superposés, creusés chacun de huit compartiments, seize instruments à manche en or avec viroles et culots en or ciselé dont douze rugines, un fouloir et deux cautères. Sous le deuxième plateau, prennent place sept autres instruments dont une paire de ciseau, deux lancettes et une paire de précelles. Enfin, autour des deux plateaux, sont répartis deux boîte en or, deux flacons en cristal aux bouchons d'or ciselé ornés de l'aigle impériale, une précelle et deux lancettes. La comparaison de ces instruments avec ceux d'un autre nécessaire dentaire signé Biennais (collection privée) permet d'en attribuer l'exécution à l'orfèvre de l'Empereur.

En revanche, le coffret orné des armes impériales ne porte pas sa signature, habituelle sur des objets de cette qualité, et laisse présager du travail d'un autre artisan. On sait que le coutelier Grangeret fournissait ce type de coffret et un mémoire de 1810 fait état de réparations apportées à un nécessaire de Napoléon composé principalement de rugines à détartrer.

Provenant des collections du baron Nathaniel de Rothschild (1840-1915), ce nécessaire dentaire fut acquis, selon la tradition familiale, par son grand-père Nathan (1777-1836) auprès d'un soldat qui l'aurait volé dans les équipages de l'Empereur à Waterloo. L'Etat (B) du testament de Napoléon fait apparaître dans l'inventaire des effets restés chez le comte de Turenne un "nécessaire d'or pour les dents, resté chez le dentiste". Dans l'état actuel de nos connaissances, il est difficile d'établir une correspondance entre les deux.

**K.H.**

**Historique :** *baron Nathaniel de Rothschild ; vente, Londres, Christie's, 9 juin 1994, n°7.*

**Exposition :** *1896, Vienne, n°374 ; 2003, Sao Paulo, n°102.*

**Bibliographie :** *Rothschild, 1903, p. 126, n°314 ; Chevallier, 1998, p.43 ; Rousseau, 1998.*

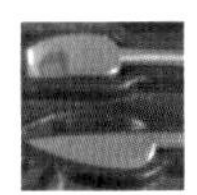

Attribué à Martin-Guillaume Biennais (1764-1843)

Nécessaire dentaire de Napoléon

*Amboine, acajou, or, acier, cristal, velours*

*H. 4 ; L. 19 ; P. 13,5 cm*

*Paris, Fondation Napoléon, inv. 286 (acquisition 1994)*

[n° 146]

Anonyme

Etude du visage de Napoléon

*Pierre noire, lavis gris*

*H. 22 ; L.15,5 cm*

*Paris, Fondation Napoléon, inv. 92 a (acquisition 1993)*

Anonyme

Etude de deux profils de Napoléon

*Crayon noir et estompe*

*H. 24,5 ; L. 15,5 cm*

*Paris, Fondation Napoléon, inv. 92 c (acquisition 1993)*

Anonyme

Etude d'un profil de Napoléon

*Crayon noir et estompe*

*H. 13,5 ; L.10,4 cm*

*Paris, Fondation Napoléon, inv. 92 b (acquisition 1993)*

**Historique :**
*collection Germain Bapst pour les inv. 92 b et 92 c ; vente, Paris, Hôtel Drouot, 27 novembre 1992, n°210, 211, 212 (attribué à Horace Vernet 1789-1863) ; acquis en 1993.*

**Exposition :**
*2003, Sao Paulo, n° 82.*

# Buste de Napoléon

[n° 147]

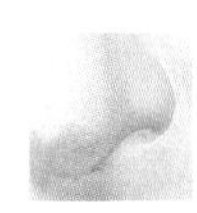

Manufacture de Sèvres

Buste de Napoléon

*1810*

*Biscuit ; "A.B. / 2 AT 10"*

*H. 30 cm*

*Paris, Fondation Napoléon, inv. 791 (donation Lapeyre)*

Suite à la proclamation de l'Empire, la manufacture de Sèvres signa le 3 septembre 1804 un accord avec le sculpteur Antoine-Denis Chaudet (1763-1810) afin de lui acheter deux bustes de l'Empereur qui lui furent payés en mars suivant, le grand modèle 1 200 F et le petit 150 F. Le buste reprenait en le modifiant celui que l'artiste avait fait du Premier Consul en 1802 ; il allait devenir l'effigie officielle de l'Empereur. Aussitôt la manufacture les fit reproduire en biscuits en deux tailles par ses deux principaux mouleurs, Alexandre Brachard (1774-1843) et Jean-Jacques Oger (1759-1842). Edités à plusieurs exemplaires, ces bustes servaient de cadeaux aux personnes que l'Empereur souhaitait honorer, la taille du buste dépendant de l'importance du destinataire. Les exemplaires en première grandeur (54 cm) furent peu nombreux, car difficiles à exécuter ; on en fabriqua que cinq en trois ans, pour le Pape, l'Impératrice, Talleyrand, Bessières et le roi de Prusse. Ceux en seconde grandeur (30 cm) servaient aux présents de moindre importance et ont été réalisés en d'assez nombreux exemplaires. Celui-ci aurait été offert à M. Forestier, inspecteur des Forêts Impériales de l'Eure, section de Dreux.

**B.C.**

**Historique :** *acquis par Martial Lapeyre à Paris en 1980.*

**Exposition :** *2003, Sao Paulo, n°98*

**Bibliographie :** *Gastineau, 1934, p. 159-168.*

# Nécessaire de portemanteau

[n° 148]

Plus petits que les grands nécessaires en vermeil ou en argent, les nécessaires de portemanteau étaient plus facilement transportables et suppléaient aux soins de la toilette et de l'écriture. Napoléon en eut un certain nombre, constamment renouvelés surtout après les pertes subies en Russie. Il en acheta plus de douze, chacun coûtant 400 F et la plupart étant d'un modèle fort simple. Il en emporta au moins un à Sainte-Hélène qu'il offrit à Las Cases en octobre 1815 comme ce dernier le rappelle dans son Mémorial (mercredi 25 au vendredi 27 octobre) : *"Un de ces soirs, il se fit apporter un petit nécessaire de campagne, en examina soigneusement toutes les parties, et me le donna, disant : "Il y a bien longtemps que je l'ai, je m'en suis servi le matin de la bataille d'Austerlitz. Il passera au petit Emmanuel, continua-t-il, en regardant mon fils. Quand il aura trente ou quarante ans, nous ne serons plus, mon cher ; l'objet n'en sera que plus curieux, il le fera voir et dira : c'est l'Empereur Napoléon qui l'a donné à mon père à Sainte-Hélène". Je me saisis du don précieux, et je lui porte une espèce de culte ; je le vénère comme une sorte de relique"*. Marchand, dont personne n'ose mettre en doute le témoignage, confirme l'anecdote ; alors qu'il était aux Briars par une soirée de mauvais temps, Napoléon se fait apporter par Marchand sa boîte aux tabatières afin de les montrer à Las Cases et à son fils : *"Ces objets vus, il me demanda l'un de ses petits nécessaires de campagne ; il en examina toutes les pièces devant le comte de Las Cases et, après l'avoir fermé, il le lui donna en lui disant : "Il m'a servi le matin d'Austerlitz, il passera à Emmanuel quand il aura trente ou quarante ans."* Ce nécessaire comporte encore vingt-deux ustensiles, deux paires de ciseaux et deux rasoirs ayant disparu ; un papier manuscrit de la main du fils de Las Cases précise : *"Quand l'Empereur donna ce petit né[cessaire] à papa les deux rasoirs ne s'y trouvèrent pas . Marchand [dit] qu'ils étaient à repasser à la ville et promit à papa de les lui donner avec le temps plus tard ils furent souvent [demandés] mais on a toujours négligé de les obtenir"*. On connaît trois autres nécessaires du même type, l'un au musée de Malmaison, au chiffre B pour Bonaparte et deux autres au musée de Fontainebleau, le premier provenant de la famille impériale et le second entré en 1988 par donation de la famille de M. Jacques Dailly à l'ancêtre duquel Napoléon l'aurait donné à Fontainebleau en 1814.

**B.C.**

**Historique :** *L'empereur Napoléon ; donné en octobre 1815 à Marie-Joseph-Auguste-Emmanuel-Dieudonné comte de Las Cases (1766-1842) ; passe à son fils Emmanuel-Pons-Dieudonné comte de Las Cases (1800-1854), mort sans postérité ; puis son frère, Charles-Joseph-Auguste-Pons-Barthélémy marquis de Las Cases (1811-1877) ; puis son fils Jean-Marie-Barthélémy marquis de Las Cases (1845-1923) ; puis sa fille, Napoleone de Las Cases, épouse de Maurice de Rochecouste ; famille de Rochecouste.*

**Expositions :** *1895, Paris, n° 247 ; 1935, Paris, n° 832 ; 1955, Paris, n° 50 ; 1969, Paris, n° 453 ; 2003, New Orleans, n° 40.*

**Bibliographie :** *La Sabretache,* Centenaire de Napoléon, *mai 1921, pl. XXXI, p. 15-16 ; Las Cases, 1983, tome 1, p. 191 ; Marchand, 1991, tome 2, p. 41.*

Martin-Guillaume Biennais (1764-1843)

Nécessaire de portemanteau de l'Empereur

*Argent, argent doré, cuivre, acajou, acier, ivoire, nacre, écaille, glace ; inscription gravée sur la serrure :* "Biennais Orf[re] de LL. MM. Imp[les] et Roy[les] à Paris".

*Plaque de cuivre portant l'inscription suivante :* "Tenez, je m'en suis servi le matin même de la Bataille d'Austerlitz. Paroles de NAPOLEON au comte de LAS CASES en lui donnant ce petit nécessaire de campagne à BRIARS (isle de St-Hélène en octobre 1815)"

*Coffret : H. 8,3 ; L. 21 ; P. 11 cm*

*Paris, Fondation Napoléon, inv. 1160 (acquisition 2001)*

Martin-Guillaume
Biennais (1764-1843)

Assiette aux armes
de l'Empereur

*Argent*

*Diam. : 20,7 cm*

*Paris, Fondation Napoléon, inv. 575 (donation Lapeye)*

**Historique :**
*vente, Paris, Hôtel Drouot, 18 juin 1975, n°63 (acquis par Martial Lapeyre).*

**Exposition :**
*2003, Sao Paulo, n°103.*

Martin-Guillaume
Biennais (1764-1843)

Assiette aux armes
de l'Empereur

*Argent*

*Marques : "Waterloo" ; au dos "n°119"*

*Diam. : 27,2 cm*

*Paris, Fondation Napoléon, inv. 1158 (acquisition 2000)*

**Historique :** *volée dans la berline de l'Empereur après Waterloo ; vente, Paris, Hôtel Drouot, 29 février 2000, n°183.*

**Exposition :** *2003, Sao Paulo, n°104.*

# Assiettes aux armes de l'Empereur [n° 149 et 150]

En campagne, Napoléon utilisait un service ordinaire en argent livré par Biennais. Deux types d'assiette aux armes de l'Empereur semblent l'avoir composé, le premier très simple, au bord uni, le second plus élaboré, bordé de palmettes et destiné aux convives de marque. Ce dernier modèle porte ici sur l'aile l'inscription commémorative *Waterloo,* gravée postérieurement. En effet, la berline impériale, conservée aujourd'hui au musée de Malmaison, que Napoléon fut contraint d'abandonner précipitamment aux Prussiens au soir de Waterloo, fut pillée dans la nuit du 18 au 19 juin 1815. Une boîte contenant "des objets de table en argent" fut trouvée sous le siège, fracturée à la hache, et son contenu partagé comme butin de guerre.

**K.H.**

# Couvert et couteau

[n° 151]

**H**ormis les quelques pièces conservées au musée de Fontainebleau, plus rien ne subsiste du grand vermeil offert par la ville de Paris à l'Empereur à l'occasion du Sacre ; il fut fondu en 1858 sur ordre de Napoléon III afin de commander un nouveau vermeil à Christofle. C'est donc au vermeil dit ordinaire qu'appartient ce couvert accompagné d'un couteau. Dès 1802, Biennais livre de nombreuses pièces d'un service de vermeil destinées aux grands banquets qu'organise le Premier Consul aux Tuileries. Constamment augmenté pendant tout l'Empire, principalement après le mariage autrichien de 1810, il était quasiment complet après Waterloo. Les Alliés ayant autorisé Napoléon à prendre pour son service à Sainte-Hélène quelques éléments de ce service, il emporta, entre autres pièces, quarante-huit couverts et quarante-huit couteaux dont le nombre se réduisit considérablement au cours de son exil, soit qu'il en donna, qu'on en perdit, ou qu'il en fit fondre en 1816 à la suite des réductions de crédits qu'ordonna Hudson Lowe.
A sa mort, en 1821, il ne restait plus que vingt-huit fourchettes, vingt-sept cuillers et vingt-neuf couteaux de vermeil. A l'occasion d'un des codicilles de son testament, daté du 16 avril 1821, Napoléon précisait : *"Je lègue aux comtes Bertrand, Montholon et Marchand, l'argent, bijoux, argenterie, porcelaine, meubles, livres, armes, etc. et généralement tout ce qui m'appartient dans l'île Sainte-Hélène."* Le vermeil subit donc le même sort et fut partagé entre tous les serviteurs de l'Empereur, l'abbé Vignali lui-même ayant reçu dans son lot un couvert et un couteau absolument semblables à ceux-ci.

**B.C.**

**Historique :** *vermeil ordinaire de l'Empereur ; utilisé à Sainte-Hélène à partir de 1815 ; vente, Paris, Hôtel Drouot, 14 mars 1966, n° 95 (acquis par Martial Lapeyre).*

**Expositions :** *1969, Paris, n° 299 ; 2003, Sao Paulo, n° 154.*

**Bibliographie :** *Samoyault, 1993, p. 207-215 ; Lemaire, 1975, p. 128, 207.*

Martin-Guillaume Biennais (1764-1843) et Pierre-François Grangeret (1ère moitié du XIXe siècle)

Couvert [fourchette et cuiller] et couteau aux grandes armes de l'Empereur

*Argent doré, acier ; poinçon de Biennais, lame marquée :* "GRANGERET COUT. [coutelier] DE L'EMPEREUR"

*Couvert : 22 cm*

*Couteau : 24 cm*

*Paris, Fondation Napoléon, inv. 967 (donation Lapeyre)*

# Fusil de chasse

[n° 152]

## Jean Le Page (1746-1834)

Fusil de chasse de Napoléon Ier

*Signé* Le Page à Paris - Arquebusier de l'Empereur

*Inscription gravée*
"Ile d'Aix le 15 juillet
à 8 heures du soir 1815"

*Noyer, argent, or, fer, acier, cuir*

*L. 133 cm*

*Paris, Fondation Napoléon, inv. 1111 (donation Lapeyre)*

Après la défaite de Waterloo le 18 juin 1815 et son abdication le 22 juin, Napoléon parvint à Rochefort le 3 juillet suivant où deux frégates, *La Saale* et *La Méduse*, avaient été mises à sa disposition par le gouvernement provisoire pour le conduire aux Etats-Unis. Alors que l'attente des sauf-conduits se prolongeait et devant l'incertitude du sort de l'Empereur réfugié sur l'île d'Aix, plusieurs projets d'évasion lui furent soumis dont celui du lieutenant de vaisseau Jean-Victor Besson (1781-1837). Ce dernier se proposait d'embarquer Napoléon sur *La Magdalena*, un brick portant pavillon danois, propriété de son beau-père, qui transportait de l'eau de vie pour le compte de la maison Pelletreau de Rochefort. Deux barriques vidées et capitonnées avaient été aménagées pour servir de cachette en cas d'arraisonnement par les Anglais. Accepté par Napoléon, le projet donna lieu à un contrat fictif d'affrètement signé entre Besson et Las Cases. Le 13 juillet, alors que le départ était prévu pour la nuit même, Besson fut informé par Napoléon de l'abandon du projet en raison de sa décision de se livrer aux Anglais. Les bagages furent déchargés dans la journée du 14 et, dans la soirée, Napoléon reçut Besson qui donna plus tard le récit des événements et de cette dernière entrevue : *"Dès que l'Empereur me vit entrer, il vint à moi et dit : "Capitaine, je vous remercie à nouveau, aussitôt que vous vous serez rendu libre ici, venez me voir en Angleterre. J'y aurai encore sans doute, ajoutait-il en souriant, besoin d'un personnage de votre caractère [...] alors, il prit parmi les armes pour son usage personnel qui se trouvaient dans un angle de la pièce, un riche fusil à deux coups qu'il avait emporté longtemps à la chasse et, tout en me le tendant, il me dit d'une voix émue : "Je n'ai plus rien dans ce monde-ci à vous offrir mon ami, que cette arme. Veuillez l'accepter comme un souvenir de moi". La Magdalena* appareilla le soir même sans son illustre passager et franchit sans être inquiétée la croisière anglaise.

Destitué à la Restauration, Besson s'essaya sans enthousiasme au commerce maritime puis se mit au service de Méhemet Ali, terminant sa carrière comme vice-amiral et major général de la flotte égyptienne. Le grand fusil de chasse à deux canons superposés offert par l'Empereur resta dans sa famille jusqu'à son acquisition par Martial Lapeyre en 1977. La plaque d'argent découpée en écu incrustée sur la face extérieure de la crosse et portant l'inscription commémorative, *Ile d'Aix le 15 juillet à 8 heures du soir 1815*, fut certainement apposée à la demande d'un des fils de Besson, ce dernier n'aurait pas fait de confusion entre le 14, jour où l'arme fut offerte, et le 15 juillet, jour où Napoléon, embarquant sur le *Bellorophon*, remit son sort entre les mains des Anglais.

**K.H.**

**Historique :** *cadeau de Napoléon à Jean-Victor Besson le 14 juillet 1815 à l'île d'Aix ; resté dans la famille Besson ; vente, Paris, Hôtel Drouot, 26 octobre 1977, sans n° (acquis par Martial Lapeyre).*

**Expositions :** *1993, Memphis, n° 177 ; 2003, Sao Paulo, n°57.*

**Bibliographie :** *Hubert, 1990, pp.13-26.*

[n° 154]

## Gilet de Napoléon

*Piqué*

*H. 62 ; tour de taille : 114 cm*

*Paris, Fondation Napoléon, inv. 83 (acquisition 1992)*

**Historique :**
*vente Vignali, Paris, Hôtel Drouot, 26 octobre 1977, n°57 ; acquis en 1992 à Paris.*

**Expositions :**
*1993, Tokyo, n°245 ; 2003, Sao Paulo, n°188.*

[n° 155]

## Culotte de Napoléon

*Casimir*

*H. 79 cm ; tour de taille : 110 cm*
*Paris, Fondation Napoléon, inv. 84 (acquisition 1992)*

**Historique :**
*vente Vignali, Paris, Hôtel Drouot, 26 octobre 1977, n°58 ; acquis en 1992 à Paris.*

**Expositions :**
*1993, Tokyo, n°245 ; 2003, Sao Paulo, n°189*

[n° 156] *[non reproduit]*

## Surplis de l'abbé Vignali

*Batiste, dentelle*

*H. 55 ; L. 114 cm*

*Paris, Fondation Napoléon, inv. 85 (acquisition 1992)*

**Historique :**
*vente Vignali, Paris, Hôtel Drouot, 26 octobre1977, n°49 ; acquis en 1992 à Paris.*

**Expositions :**
*1993, Tokyo, n°240 ; 2003, Sao Paulo, n°191*

# Vêtements

[n° 153 à 156]

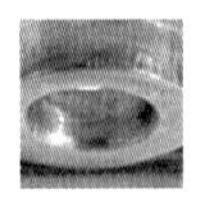

Exigeant sur son hygiène corporelle, Napoléon a des goûts d'habillement modestes. Aimant ses aises, il a horreur des vêtements neufs. C'est par une simplicité très étudiée que son apparence tranche sur celles de son entourage. Sa garde robe de Sainte-Hélène n'est donc pas pour lui une source de privation.
Marchand a pris soin, au départ de France, d'emporter une vaste provision de linge de toilette : 4 douzaines de chemises, 37 paires de bas, 19 culottes de casimir, 10 vestes, 8 robes de chambre, des gilets, des mouchoirs, des caleçons, etc. A sa mort, le nombre est sensiblement réduit, sinon réduit à rien.
Dans son testament, Napoléon a prévu : *"il ne sera vendu aucun des effets qui m'ont servi ; le surplus sera partagé entre mes exécuteurs testamentaires et mes frères."* Par surplus, il entendait ce qui était légué au roi de Rome. Ce dernier n'ayant pu recevoir ses legs et étant ensuite décédé en 1832, les objets divers, qui les constituaient, furent partagés entre six membres de la famille. On trouvera ainsi des pièces de linge dans les lots de la comtesse Camerata (fille d'Elisa), Caroline, prince Jérôme, Lucien, Joseph et Louis.
Le gilet et la culotte, présentés ici, proviennent de l'abbé Vignali arrivé à Sainte-Hélène en septembre 1819 et qui officia aux cérémonies religieuses des obsèques. Les exécuteurs testamentaires décidèrent de lui attribuer quelques objets divers que ses héritiers conservèrent après sa mort en 1836, et qui ne réapparurent que dans une vente générale de souvenirs lui ayant appartenu en 1977.
Le gilet et la culotte sont probablement de l'atelier de Chevallier, tailleur personnel de l'Empereur qui lui fut très fidèle.
La boucle de col en or de Napoléon fait partie, en revanche, de ces objets précieux dont Napoléon a décidé de la destination. Elle figure dans l'Etat (A) sous la rubrique "linge de toilette" avec une paire de boucles à garniture en or et une paire de boucles en or à souliers, "renfermées dans la petite boîte n° III" et aurait dû, elle aussi, être remise par Marchand au roi de Rome. Placée dans le lot n° 2 lors du partage des legs non délivrés au roi de Rome en 1836, elle échut par tirage au sort à Caroline, veuve de Murat. La boucle de col servait à fixer sur la nuque un col de soie noire plissée que Napoléon portait avec une cravate de mousseline.

Napoléon portait le plus souvent à Sainte-Hélène quand il demeurait dans son intérieur un gilet, une chemise, un caleçon, une culotte de casimir ou un pantalon de feutrine à sous-pieds et une robe de chambre en piqué. Il chaussait des pantoufles en maroquin rouge. Quand il sortait, il portait un habit de chasse à tir à boutons dorés, le cordon rouge sous l'habit et la plaque de la Légion d'honneur sur l'habit. Quand celui-ci fut usé, il le remplaça par un habit bourgeois. Il se coiffait d'un chapeau à cornes dont il enleva vite la cocarde tricolore, et se chaussait de bottes. Pour les dîners et les réceptions, il mettait des bas de soie et des souliers. Il semble bien que peu après avoir quitté les Briars pour Longwood, il n'ait jamais revêtu la fameuse redingote grise, pas plus que l'habit des chasseurs de la garde avec lequel il fut enterré.

**J.J.**

[n° 153]

### Boucle de col de Napoléon

*Or*

*H. 5,3 ; L. 2,6 cm*

*Inscription gravée :*
"Cette boucle de col qui appartenoit à l'Empereur Napoléon et dont il se servoit à Sainte-Hélène est échue en partage à sa sœur Caroline".

*Poinçon de l'orfèvre Auguste-Marie Franchet*

*Paris, Fondation Napoléon, inv. 76 (acquisition 1991)*

**Historique :**
*legs au roi de Rome ; collection de Caroline Bonaparte ; vente, Paris, Hôtel Drouot, 24 juin 1991, n°103.*

**Expositions :**
*1993, Tokyo, n°240 ; 2003, Sao Paulo, n°187.*

**Bibliographie :**
*Lemaire, 1975, pp. 123, 150, 201.*

**Archives nationales :**
*31 AP 28 dr 591, 31 AP 12 dr 58, 31 AP dr 377 et 378 ; 31 AP 40 dr 16 n°12.*

# Reliquaire

[n° 157]

Ce reliquaire a une provenance tout à fait remarquable. Une mèche des cheveux de Napoléon coupée sur son lit de mort par son valet de chambre, Marchand, avec deux morceaux de tissu furent rapportés par lui en France. Il les donna à son beau père le général Michel-Sylvestre Brayer (1769-1840) dont il avait épousé la fille en 1823, selon le vœu exprimé par Napoléon: *"Je désire qu'il épouse une veuve, sœur ou fille d'un officier ou soldat de ma vieille garde."* Brayer avait commandé une division de la garde pendant les Cent-Jours sous la monarchie de Juillet, il commanda la division militaire de Strasbourg où il fut soigné par le docteur Marie-Gabriel Masuyer (1761-1849) à qui il donna les précieuses reliques. A la mort de ce dernier, sa fille, Valérie (1797-1878), filleule de l'impératrice Joséphine et dame d'honneur de la reine Hortense à Arenenberg, en hérita.

**J.J.**

**Historique :** *reliques rapportées de Sainte-Hélène par Louis Marchand (1791-1876) ; général Brayer ; Marie-Gabriel Masuyer ; Valérie Masuyer ; vente, Paris, Hôtel Drouot, 10 mai 1967, n°99 (acquis par Martial Lapeyre).*

**Exposition :** *2003, Sao Paulo, n°184.*

## Reliquaire de Sainte Hélène

*Trois reliques collées sur papier avec un texte manuscrit :*

"Fragment de ruban d'une des croix portées par l'Empereur à Ste-Hélène"

"Fragment de rideau de l'un des lits où il a tant souffert à Ste-Hélène"

"Cheveux de l'Empereur rasés après sa mort par Mr Marchand pour l'empreinte de son visage"

"Ces précieuses et douloureuses reliques ont été données par le Gal Brayer, beau-père de Mr Marchand, à mon père le Docteur Masuyer, professeur à la Faculté de médecine Strasbourg en 1838 en souvenir de ses soins et furent précieusement recueillis par moi à la mort de mon père en 1849. Valérie Masuyer"

*Cadre H. 29,2 ; L. 23,5cm*

*Paris, Fondation Napoléon, inv. 494 (donation Lapeyre)*

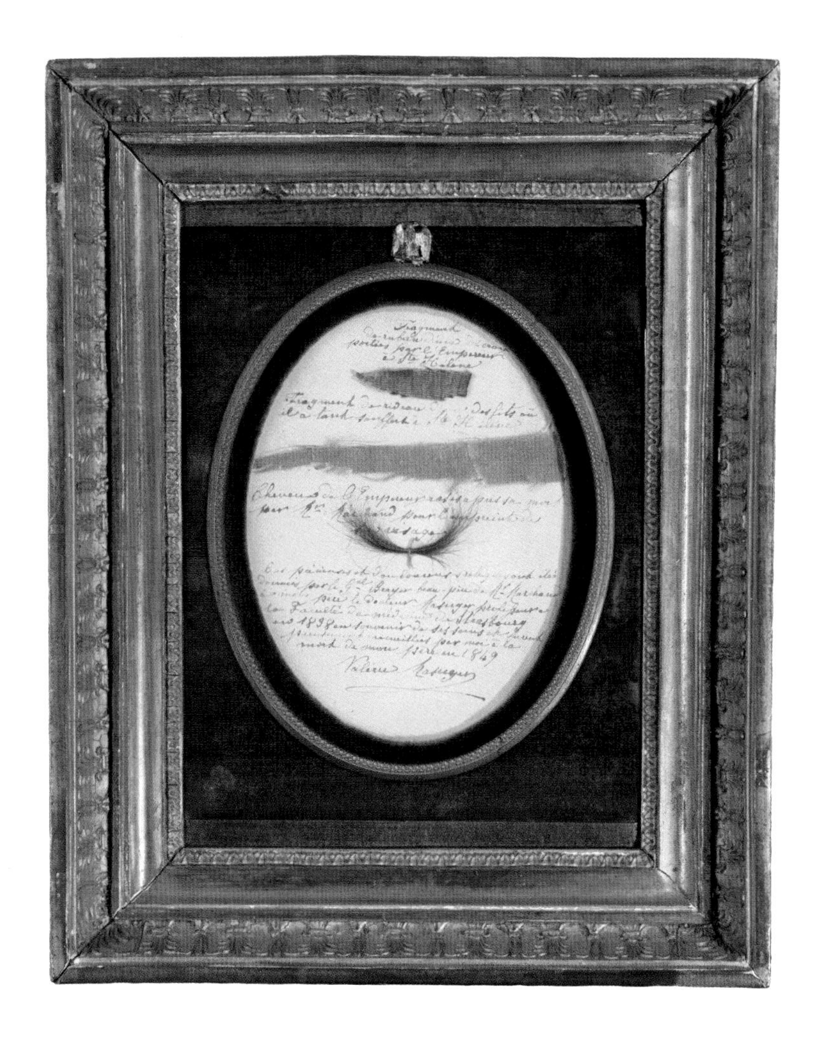

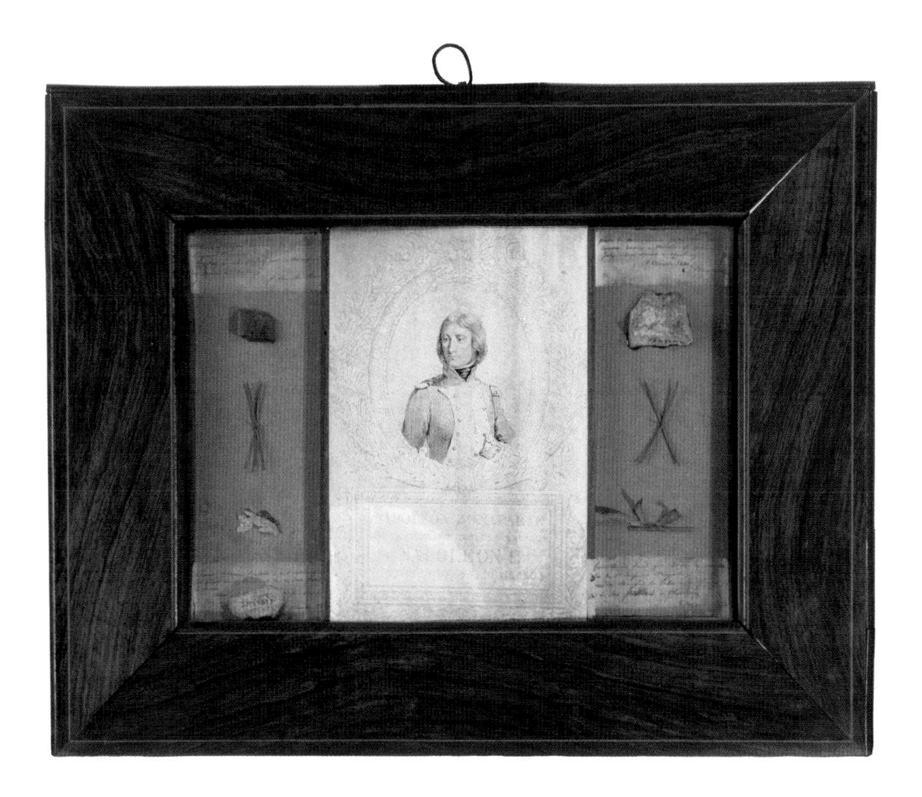

### Reliquaire de Sainte Hélène

*Reliques de la tombe de Napoléon encadrant une gravure* "Napoléon Bonaparte Lieutenant-colonel/ 1er Bon de la Corse en 1792 / Napoléon Ier Empereur des Français 1804"

*Quatre notes manuscrites de la main de Marchand :*

"Morceau de cercueil d'acajou de l'Empereur Napoléon, offert au Colonel Joly par Marchand lors de son arrivée à Cherbourg. 5 décembre 1840"

"Ciment romain servant à lier intérieurement les pierres qui se trouvaient sur la dalle fermant le caveau, donné par Marchand à Monsieur le Colonel Joly à son arrivée à Cherbourg. 5 décembre 1840"

"Pierre de maçonnerie prise dans le caveau donnée à Monsieur le colonel Joly à son arrivée à Cherbourg. 5 décembre 1840. Marchand"

"Petite branche du saule qui pendant vingt ans a ombragé le tombeau de l'Empereur Napoléon, donnée à Monsieur le colonel Joly par Marchand à son arrivée à Cherbourg. 5 décembre 1840"

*Cadre H. 34 ; L. 42cm*

*Paris, Fondation Napoléon, inv. 848 (donation Lapeyre)*

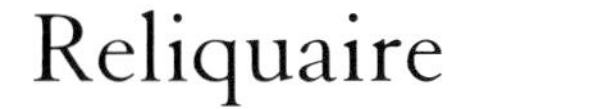

# Reliquaire

[n° 158]

Le Retour des Cendres fut l'occasion pour tous les membres du voyage-pèlerinage de rapporter de multiples objets de Sainte-Hélène en souvenir de l'exhumation du cercueil de Napoléon le 15 octobre 1840.
Avant ce jour solennel, les compagnons s'étaient rendus dans la vallée du Tombeau pour se recueillir devant la sépulture. Louis Marchand y alla au moins deux fois, le vendredi 9 et le dimanche 11. C'est au cours d'une de ces visites qu'il cueillit une branche du seul saule subsistant des quatre ou cinq qui ombrageaient la tombe en 1821. Les deux morceaux de maçonnerie : un morceau de ciment romain qui recouvrait entièrement la dalle supérieure fermant le caveau (et non pas qui liait les pierres) et une pièce de maçonnerie provenant d'un mur latéral qu'on avait commencé à défoncer ne pouvant d'abord enlever le ciment romain furent ramassés par Marchand dans la nuit du 15 octobre.
Le morceau de cercueil d'acajou provient du 4e cercueil extérieur de l'inhumation de 1821. Légèrement abîmé et rendu inutile par les deux cercueils (plomb et ébène) venus de France, il fut laissé sur place. Le lendemain, deux serviteurs, Archambault et Noverraz, le transportèrent jusqu'à Jamestown et il fut divisé en rade entre les trois bâtiments français. Les officiers et les membres de l'expédition en reçurent un morceau.
Quand au colonel Joly, le donataire, il peut s'agir d'Alfred-Jean-Louis Joly (1792-1862) qui servit à Dresde, Leipzig et Waterloo, colonel depuis 1833, promu général en 1841 et dont la carrière témoigne de sa fidélité à Napoléon.

**J.J.**

**Historique :** *reliques rapportées de Sainte-Hélène par Louis Marchand (1791-1876) ; général Joly ; vente, Croisière impériale sur le* France, *23 avril 1969, n° 98 (acquis par Martial Lapeyre).*

**Exposition :** *2003, Sao Paulo, n°200*

**Bibliographie :** *Ali, 2003.*

# Leçons d'anglais

[n° 159]

Une odeur, un papier froissé, des notes laissées au coin d'une table ont, lorsqu'on les retrouve des années plus tard, un pouvoir évocateur bien plus puissant que celui des textes rédigés avec méthode. Ce sont des instantanés de l'existence. D'apparence insignifiante, ils témoignent de la vie d'un homme surpris dans son quotidien.
Ces trois pages de leçons d'anglais données par le comte de Las Cases à partir du 17 janvier 1816 - couvertes des griffonnages d'un élève impatient d'apprendre mais réticent à assimiler la grammaire - nous apprennent que de fortes chaleurs humides sévissaient alors, que la pluie ne cessa guère de tomber durant tout le mois que les températures demeurèrent élevées, et que l'atmosphère lourde, presque irrespirable, créait une sensation d'écrasement.
Las Cases qui, aux dires du général Bertrand, parlait anglais avec un très mauvais accent, avait déjà donné à Napoléon, deux leçons d'anglais à bord du Northumberland. Ces séances avaient rebuté l'Empereur - et puis, le fait que les officiers anglais parlaient presque tous français n'encouragea guère la poursuite de ces leçons.
Trois mois après avoir débarqué, isolé sur le plateau de Longwood, Napoléon n'était plus tenu au courant de l'actualité que par les rares journaux anglais qu'il recevait. Il se sentait *emprisonné au milieu de cette langue* et il voulut se libérer de cette geôle supplémentaire en demandant à Las Cases de reprendre les leçons. Las Cases était devenu plus méthodique et plus patient dans sa méthode d'enseignement de la syntaxe et parvint à éviter à son élève les *inévitables dégoûts du début.* Il lui proposa même des thèmes : *Quand serez-vous sage ? - When will you be wise ? - Jamais tant que je suis dans cette isle - Never as long as that I should be in this isle - Mais je le deviendrai après avoir passé la ligne - But I shall become after having passed the line - Lorsque je débarquerai en France je serai très content - When I shall land in France I shall be very content [...] Ma femme viendra près de moi, mon fils sera grand et fort, il pourra boire sa bouteille de vin à dîner - my wife shall come near to me, my son shall be great and strong if he will able to drink a bottle of wine at dinner [...] - The time has no wings.*
Napoléon fut un bon élève car après une vingtaine de leçons - parfois reprises lors de promenades - il fut capable de tenir une conversation et surtout, il put lire, seul, les journaux anglais.
Le général Bertrand rapporta ce document de Sainte-Hélène. Lorsqu'il fut présenté au public, lors de l'exposition napoléonienne organisé, en 1921, par la ville de Lyon, il appartenait à Mme Henry Olphe-Gaillard. A cette occasion, Albéric Cahuet le publia dans le numéro de *L'Illustration* du 11 juin 1921.

**M.D.M.**

**Historique :** *rapporté de Sainte-Hélène par le général Bertrand ; collection Olphe-Gaillard ; vente, Paris, Espace Tajan, 22 juin 1999, n°41.*

**Expositions :** *1921, Lyon, Bibliothèque municipale, Centenaire de la mort de Napoléon ; 2003, Sao Paulo, n°192.*

**Bibliographie :** *Cahuet, 1921, p. 550.*

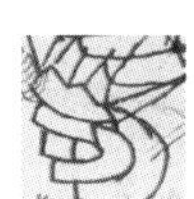

Leçons d'anglais de Napoléon Ier

*Longwood, 1816-1817*

*8 pages autographes sur deux feuillets, filigrane* D&C 1813

*H. 32 ; L. 20,5 cm*

*Paris, Fondation Napoléon, inv. 1153 (acquisition 1999)*

# Œuvres Complètes

[n° 160]

## Antoine-Vincent Arnault

Œuvres Complètes, *La Haye, J.-B. Wallezz, 25 oct. 1817, 15 fév. 1818, 1er juin 1818.*

*3 volumes aux grandes armes de Napoléon*

*Inscription* "Bibliothèque de S. Hélène" *sur le dos ; note manuscrite sur la première page du premier volume :* "Cet exemplaire a fait partie de la bibliothèque de Napoléon pendant son exil ; je l'avais tiré de la mienne pour le lui envoyer quand le docteur Antonmarchi se rendit à Ste Hélène ; il m'a été restitué après la mort du grand homme par le Cte de Montholon en partage duquel il était échu. Arnault"

*Timbre humide de la bibliothèque de Sainte-Hélène sur chaque page de titre des trois volumes avec la mention* "L'Emp Napoléon" *à la plume*

*Maroquin*

*H. 25 ; L.16,2 cm*

*Paris, Fondation Napoléon, inv. B5803 (donation Lapeyre)*

De sa jeunesse à sa mort, Napoléon fut un grand liseur, bien qu'il ne fût pas bibliophile au sens artistique du terme. Les livres étaient pour lui des auxiliaires utiles et non pas des amis. Il fit réunir plus de 60 000 ouvrages dans les bibliothèques de ses palais (Tuileries, Fontainebleau, etc.) et sa bibliothèque était toujours située près de son cabinet de travail. Il emporta à Sainte-Hélène un peu moins de 600 ouvrages qui, complétés par divers moyens, étaient devenus plus de 3 500 en 1821.

L'écrivain Arnault (1766-1834), relation de Bonaparte, avait été chargé de constituer une bibliothèque de voyage pour l'expédition d'Égypte. Selon la mention autographe sur la page de garde du tome 1 de l'ouvrage présenté ici, il fit parvenir ses œuvres à Sainte-Hélène, au moment où le docteur Antommarchi s'y rendit en 1819, mais sans dire expressément qu'il les lui avait remis. Or on sait par le mameluck Ali, bibliothécaire, (inédit) que plus d'une centaine de volumes furent convoyés par l'abbé Buonavita qu'accompagnait Antommarchi.

Le timbre humide et l'inscription "l'Empereur Napoléon" de la main d'Ali sur la page de titre sont les marques usuelles de la bibliothèque de Longwood. La reliure aux armes pose quelques questions. Comme il ne peut s'agir, vu la date de publication, d'un exemplaire offert antérieurement à Arnault par l'Empereur, il faut supposer que la reliure (Simier ? d'après le décor) a été réalisée postérieurement à la demande de l'auteur-donateur. Supposition accréditée par la présence du fer poussé au pied du dos "Bibliothèque de S. Hélène", inexistant à Longwood évidemment, mais qui se voit sur des exemplaires rapportés de Longwood, soit sur le dos, soit sur le premier plat, et dont les propriétaires ont voulu solenniser la provenance.

Quand à l'indication, encore par Arnault, que l'ouvrage lui a été "rendu" par Montholon, on peut préciser que Napoléon, peu soucieux de la valeur des livres, n'avait réglé que le sort de 400 d'entre eux, "parmi ceux qui ont le plus servi à mon usage" à remettre à son fils par Ali. Ce qui ne put se faire, et ils furent attribués plus tard à la famille Bonaparte. Parmi les autres, un certain nombre fut partagé entre les compagnons de l'exil.

**J.J.**

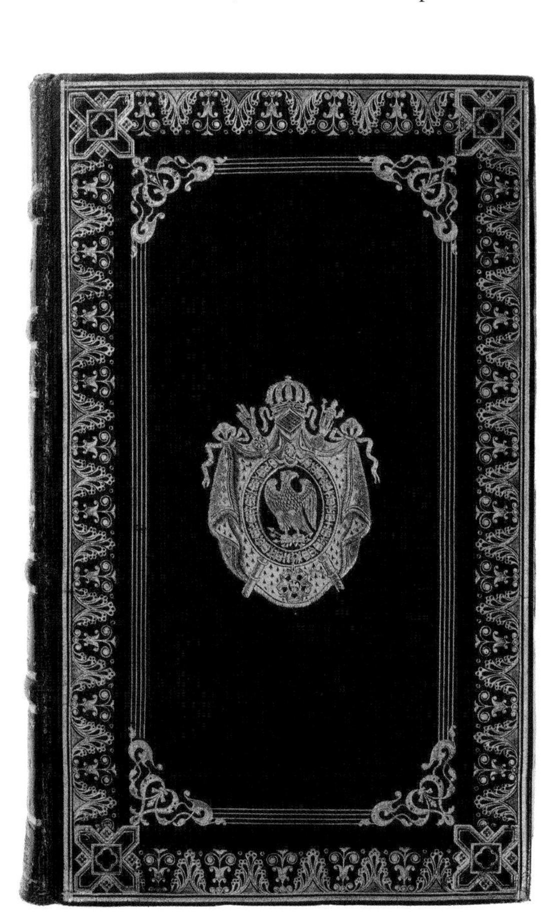

**Historique :** *envoyés par Arnault à Napoléon à Sainte-Hélène ; rendus à Arnault par le comte de Montholon ; vente, Paris, Hôtel Drouot, 21 novembre 1960, n°18 ; collection Lapeyre.*

**Expositions :** *2003, Sao Paulo, n°200.*

**Bibliographie :** *Ali, 2003.*

# Mémorial de Sainte-Hélène

[n° 161]

Le *Mémorial de Sainte-Hélène* de Las Cases, suivi des mémoires d' O'Méara et d'Antommarchi et d'un récit de la translation de la dépouille de Napoléon aux Invalides, rassemble les textes disponibles à l'époque sur la captivité et le retour des Cendres. C'est un moment du souvenir d'autant plus émouvant par sa provenance : comte Colonna Walewski, fils naturel de Napoléon.
Il comporte 500 vignettes in-texte, 2 frontispices et 29 grands sujets hors-texte, gravés sur bois d'après Charlet avec faible coloration par Vernet *et alii,* et 2 cartes tirées sur vélin. Les faux titres sont ornés d'un bois représentant le tombeau de Napoléon à Sainte-Hélène et le texte est encadré d'un double filet noir. Quelques très rares exemplaires ont été tirés sur chine. Dans cet exemplaire exceptionnel, les frontispices et les hors-texte sont sur chine appliqué sur grand chine et non pas sur vélin. Cette édition, dans son tirage courant, a été tirée en 126 livraisons à 22 000 exemplaires et donna lieu à un procès des héritiers de Las Cases (mort en 1842) contre l'éditeur Bourdin. Ils lui contestaient le calcul d'une double main de passe, soit 2 000 exemplaires exempts de droits au lieu de la moitié. Bourdin, qui soutenait que la double main était d'usage pour les livres illustrés, perdit son procès et dût payer un complément en 1844.
Un exemplaire sur chine de la célèbre bibliothèque Descamps-Scrive fut vendu 28 000 F en 1925, la deuxième plus forte adjudication dans la vacation des 575 livres romantiques.

**J.J.**

**Historique :** *comte Colonna Walewski ; bibliothèques Aimé Laurent et Docteur Roudinesco. vente, Paris, 30 mai 1967, n° 77 (acquis par Martial Lapeyre)*

**Bibliographie :** *Grivois, 1883, p.276 ;* Bibliothèque Descamps-Scrive, *Paris, 1925, t.2, n°148 ; Carteret, 1927, t.3, p.571.*

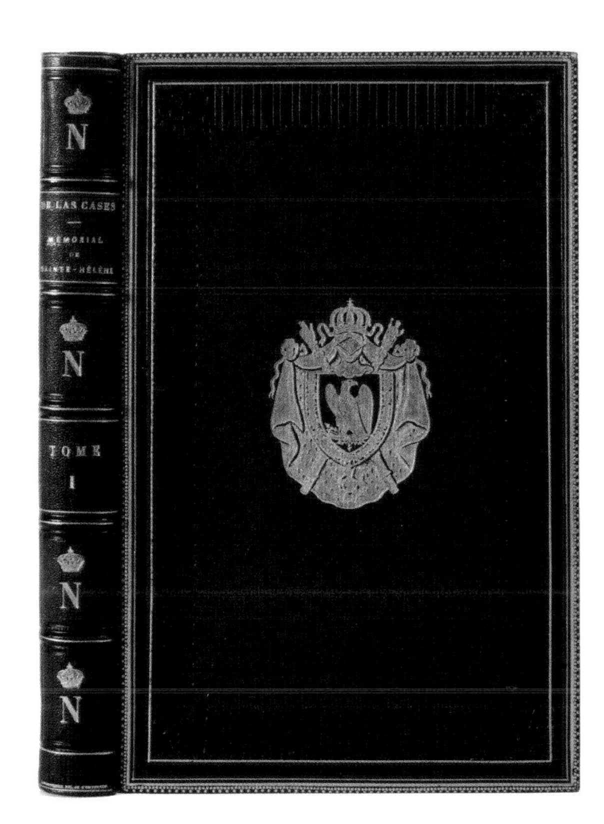

Comte de Las Cases

Mémorial de Sainte-Hélène suivi de Napoléon dans l'exil par MM. O'Méara et Antommarchi et de l'historique de la translation des restes mortels de l'Empereur Napoléon aux Invalides, *Paris, Ernest Bourdin, 1842.*

*2 volumes signés Despierres, relieur de l'Empereur Napoléon III, aux armes de Napoléon ; armes du comte Colonna Walewski sur la doublure du premier plat.*

*Maroquin*

*H. 27,2 ; L.18,5 cm*

*Paris, Fondation Napoléon, inv. B5310 (donation Lapeyre)*

# Masque mortuaire

[n° 162]

Les circonstances dans lesquelles l'empreinte du visage de l'Empereur a été prise après sa mort sont assez troubles. Elle fut réalisée en deux parties par le médecin anglais Francis Burton (1787-1828), simplement aidé par Francesco Antommarchi, le médecin corse arrivé sur l'île en 1819 et qui effectua l'autopsie de l'Empereur. La nuit précédant les obsèques, l'épouse du Grand Maréchal, Mme Bertrand, ne souhaitant pas voir un Anglais s'approprier le visage de l'Empereur, subtilisa de connivence avec Antommarchi la partie faciale de l'empreinte, laissant la partie postérieure à Burton. Il fallut donc reconstituer les parties manquantes, ce qui donna le masque dit d'Antommarchi, fait de bricolages et de tâtonnements. Burton mort, Antommarchi put alors lancer une édition commerciale de son masque à partir de 1833, permettant ainsi à chacun d'acquérir le masque de l'Empereur ; édité en plâtre ou en bronze, il ajouta à la base du cou une petite médaille en bronze au profil lauré de l'Empereur et authentifia son œuvre par sa signature "Dr F. Antommarchi". Le roi Louis-Philippe souscrivit pour cinq épreuves en bronze et vingt-cinq en plâtre, les masques de bronze étant fondus par Richard et Quesnel ; sous le Second Empire, le fondeur Susse ajouta un coussin de bronze sur lequel on pouvait poser le masque. Le masque exposé passe pour l'exemplaire personnel d'Antommarchi ; il a été acquis directement auprès de la famille par le musée de Malmaison en 1944.

**B.C.**

Francesco
Antommarchi
(1789-1838)

Masque mortuaire de
Napoléon Ier

*1821*

*Plâtre*

*H. 15 ; L. 35 cm*

*Rueil-Malmaison, musée national des châteaux de Malmaison et Bois-Préau, MM. 40.47.7284*

CODE

# Napoléon I^er législateur

[n° 163]

Après une formation classique à l'école de Beaux-Arts de Paris où il fut l'élève de Pradier, Eugène Guillaume obtint le Prix de Rome en 1845 et commença une carrière d'artiste officiel. Il travailla pour de nombreux monuments sous le Second Empire, les églises Saint-Eustache, Sainte-Clotilde et de la Trinité, le palais du Louvre, la fontaine Saint-Michel ou l'Opéra. Régulièrement récompensé aux Salons et aux Expositions universelles, il entra à l'Institut en 1862, première étape d'un parcours jalonné d'honneurs. Il fut nommé directeur de l'Académie de France à Rome en 1891 et élu à l'Académie française en 1898 au siège du duc d'Aumale. Son œuvre comporte un important cycle napoléonien résultant essentiellement des commandes du prince Napoléon (1822-1891), fils de Jérôme Bonaparte.

Le prince avait fait construire par l'architecte Normand, au 18 avenue Montaigne, une demeure imitée des villas antiques et connue sous le nom de maison pompéienne. Il avait commandé pour l'atrium de cette dernière une statue en pied de Napoléon I^er figurant l'Empereur en toge tenant le Code civil, la tête laurée, un aigle à ses pieds. L'oeuvre présentée ici est le plâtre original de cette statue en marbre blanc, commandée sans doute avant 1859 (elle figure dans le livret du Salon de cette année là mais ne fut présentée qu'à l'exposition de 1861). Le musée d'Orsay possède une esquisse en cire de l'œuvre où l'aigle n'apparaît pas aux pieds de Napoléon, mais, dans sa version réduite aux ailes éployées, sur le sceptre impérial.

Un tableau de Gustave Boulanger, *Répétition du Joueur de flûte et de la femme de Diomède chez le prince Napoléon dans l'atrium de sa maison pompéienne 1860,* (musée de Versailles) montre la préparation des comédiens pour la représentation prévue à l'occasion de l'inauguration de la maison le 14 février 1860. Le *Napoléon I^er* de Guillaume y figure, dominant l'atrium sur un haut socle traité en fontaine antique. Si le plâtre est resté dans l'atelier de Guillaume, puis dans sa descendance, le marbre connut un destin plus chaotique. La maison vendue en 1866, la statue fut présentée à l'Exposition universelle de 1867 avant de subir d'irréparables dommages dans l'incendie du palais des Tuileries en 1871. Transportée à la villa de Prangins, en Suisse, elle est aujourd'hui conservée au Napoleonmuseum d'Arenenberg.

Pour le jardin d'hiver de la maison pompéienne, le prince Napoléon avait également commandé à Guillaume une série de bustes de Napoléon à différents âges de sa vie : élève à Brienne, général en chef de l'Armée d'Italie, Premier Consul, Empereur, en 1812, à Sainte-Hélène (les plâtres sont à Malmaison, les marbres dans une collection privée et à Arenenberg). Un *Napoléon en pied en lieutenant d'artillerie* clôt le cycle en 1870. Le musée d'Orsay et le musée de Malmaison conservent aussi des esquisses en cire d'une statue équestre non exécutée, prévue pour la cour Napoléon du Louvre.

**K.H.**

**Historique :** *plâtre original du marbre commandé par le prince Napoléon ; resté dans l'atelier de Guillaume ; Hortense Lefuel (1857-1949), née Guillaume, sa fille ; resté dans sa descendance ; don Olivier Lefuel en 2003.*

**Exposition :** *1993, Tokyo, n°125.*

**Bibliographie :** *Lami, 1919, pp. 116-117 ; Boyries, p. 161, 187-188.*

Eugène Guillaume
(1822-1905)

Napoléon I^er législateur

*Plâtre patiné*

*Vers 1860*

*H. 180 ; L. 86 ; P. 52, 5 cm ; avec sceptre H. 207 cm*

*Paris, Fondation Napoléon, inv. 1168 (don Lefuel 2003)*

# Bibliographie


**ALI Mameluck,** *Journal inédit du Retour des Cendres 1840*, édition établie par Jacques Jourquin, Paris, 2003.

**ANDRE Edouard,** "Swebach-Desfontaines", *Gazette des Beaux-Arts,* 1904.

**BACA Albert et GORBATOVA Irina,** "Le "Service Olympique" du Musée des Armures au Kremlin", *Revue de la Société des Amis du Musée national de Céramique,* n° 5, 1996.

**BASILY-CALLIMAKI** Mme E. de, *J.B. Isabey, sa vie, son temps, 1767-1855, suivi du catalogue de l'oeuvre gravée par et d'après Isabey,* Paris, 1909.

**BIVER Marie-Louise,** *Le Paris de Napoléon,* Paris, 1963.

**BORDES Philippe, POUGETOUX Alain,** "Les portraits de Napoléon en habits impériaux par Jacques-Louis David", *Gazette des Beaux-Arts,* juillet 1983.

**BOTTET Maurice,** *La manufacture d'armes de Versailles,* Leroy, 1903.

**BOYRIES Pierre,** *De plâtre de marbre ou de bronze : Napoléon : essai d'iconographie sculptée,* 1998.

**CARTERET Léopold,** *Le trésor du bibliophile,* Paris, 1927.

**CAHUET Albéric,** "Un devoir d'anglais de Napoléon à Sainte-Hélène", *L'Illustration,* Paris, 11 juin 1921.

**CHEVALLIER Bernard,** "Les services de Dihl et Guérhard de l'impératrice Joséphine et du prince Eugène", *Revue de la Société des Amis du Musée national de Céramique,* n° 3, 1994.

**CHEVALLIER Bernard,** *L'art de vivre au temps de Joséphine,* Paris, 1998.

**CONSTANS Claire,** *Musée national du château de Versailles, les peintures,* 3 vol., Paris, 1995.

**DAVID Jacques-Louis-Jules,** *Le peintre Louis David, 1748-1825,* 2 vol., Paris, 1880.

**DETOURS Jordane,** "Ordre de la Couronne de Westphalie, 1809", *L'orfèvrerie au service d'un idéal,* musée national de la Légion d'honneur et des ordres de chevalerie, 1997 (catalogue d'exposition).

**DION-TENENBAUM Anne,** *L'orfèvre de Napoléon, Martin-Guillaume Biennais,* musée du Louvre, Paris, 2003 (catalogue d'exposition).

**ENNES Pierre,** "Un fournisseur de la Manufacture de Sèvres, l'orfèvre Pierre-Noël Blaquière 1811-1823", *L'orfèvrerie au XIXe siècle,* Rencontres de l'Ecole du Louvre, Paris, 1994.

**FAITH Dennis,** *Three centuries of French domestic silver,* New-York, 1960.

**FANIEL Stéphane** (sous la direction de), *Le Dix-neuvième Siècle Français,* Paris, 1960.

**FONTAINE Pierre-François-Léonard** (1762-1853), *Journal 1799-1853,* Paris, 1997.

**FOUCART Jacques,** "Jean-Louis Demarne", *De David à Delacroix : la peinture française de 1774 à 1830,* Grand Palais, Paris, 1974 (catalogue d'exposition).

**GASTINEAU Marcel,** "Note sur deux bustes de Napoléon Ier par ou d'après Chaudet édités à la manufacture de Sèvres (1805-1811)", *Bulletin de la Société d'Histoire de l'Art Français,* 1935.

**GOTTERI Nicole,** *Soult maréchal d'Empire et homme d'Etat,* Besançon, 1991.

**GRANDJEAN Serge,** *Inventaire après décès de l'impératrice Joséphine à Malmaison,* Paris, 1964.

**GRANDJEAN Serge,** *L'Orfèvrerie du XIXe siècle en Europe,* Paris, 1962.

**GRANDJEAN Serge,** *Catalogue des tabatières, boîtes et étuis des XVIIIe et XIXe siècles du musée du Louvre,* Paris, 1981.

**GRIVOIS Jules,** *Bibliographie des ouvrages illustrés du XIXe siècle,* Paris, 1883.

**GUIFFREY Jules,** "Portraits de Napoléon Ier et Marie-Louise par le peintre Goubaud", *Bulletin de la Société d'Histoire de l'Art Français,* 1908.

**GUIFFREY Jules,** "Le peintre Goubaud", *Bulletin de la Société d'Histoire de l'Art Français,* 1910.

**HERBIN-DEVEDJIAN Nicole,** "Un artiste sous la Révolution : le peintre Joseph Boze", *Société Historique de l'Art français,* Paris, 1981, paru en 1983.

**HUBERT Gérard,** "Un présent impérial. Le fusil de Victor Besson", *Revue du Souvenir napoléonien,* n°370, avril 1990.

**HUGUENAUD Karine,** "Un chef d'œuvre de la collection Martial Lapeyre, le nécessaire de voyage de Joseph Fouché", *Revue du Souvenir Napoléonien,* n°432, déc. 2000-janvier 2001.

**JANNEAU Guillaume,** *Le meuble léger en France,* Paris, 1952.

**JEANNERAT Carlo,** "Les portraits de Napoléon Ier et Marie-Louise par J.L. Goubaud", *Bulletin de la Société de l'Histoire de l'Art Français,* 1936.

**LAJOIX Anne,** "Alexandre Brongniart et la quête des moyens de reproduction en couleurs", *Revue des Amis du musée national de Céramique,* 1992.

**LAJOIX Anne,** *Marie-Victoire Jaquotot (1772-1855) peintre sur plaques de porcelaine,* thèse de doctorat, Université Paris I, 1992.

**LAMI Stanislas,** *Dictionnaire des sculpteurs de l'école francaise,* 1919, réimp. 8 vol., Nendeln, Liechtenstein, 1970.

**LAS CASES Emmanuel** comte de, *Le Mémorial de Sainte-Hélène,* Paris, 1983.

**LAVALLEY Gaston,** *Le peintre Robert Lefèvre, sa vie son œuvre,* Caen 1902.

**LAVEISSIERE Sylvain,** *Le Sacre de Napoléon peint par David,* musée du Louvre, Paris et Milan, 2004 (catalogue d'exposition).

**LEDOUX-LEBARD Denise,** *Le mobilier français du XIXe siècle,* Paris, 2000.

**LEMAIRE bâtonnier Jean,** *Le testament de Napoléon : un étonnant destin 1821-1857,* Paris, 1975.

**LENORMANT Charles,** *François Gérard,* Paris, 1846.

**LENTZ Thierry** (sous la direction de), *Le Sacre de Napoléon,* Paris, 2003.

**MARCHAND Louis,** *Mémoires,* Paris, 1991.

**MASSON Frédéric,** *Joséphine, Impératrice et reine,* Paris 1898.

**MAZE-CENSIER Alphonse,** *Les fournisseurs de Napoléon Ier et des deux Impératrices,* Paris, 1893.

**OSCHE Philippe,** *Les chevaux de Napoléon,* Bassins, 2002.

**PAILLET Charles,** *Catalogue des tableaux et esquisses de François Gérard,* vente, 27-29 avril 1837, Paris, 1837.

*Palais Bourbon devenu Palais national du conseil des cinq cents aujourd'hui palais de la chambre des députés,* Paris, 1898.

**PERATE André,** "Les esquisses de Gérard", *L'Art et les Artistes,* 1909-1910.

**PLINVAL DE GUILLEBON** Régine de, *Porcelaine de Paris 1770-1850,* Fribourg, 1972.

**PLINVAL DE GUILLEBON** Régine de, *La porcelaine à Paris sous le Consulat et l'Empire,* Paris, 1985.

**PLINVAL DE GUILLEBON** Régine de, *Faïence et porcelaine de Paris XVIIIe XIXe siècles,* Dijon, 1995.

**PREAUD Tamara,** "Denon et la Manufacture impériale de Sèvres", *Dominique-Vivant Denon,* musée du Louvre, Paris, 1999 (catalogue d'exposition).

**ROSENBERG Pierre, PRAT Louis-Antoine,** *Jacques-Louis David 1748-1825. Catalogue raisonné des dessins,* 2 vol., Milan, 2002.

**ROTHSCHILD Nathaniel** baron de, *Notizen über einige meiner kunstgegenstände,* 1903.

**ROUSSEAU Claude,** *Les outils à dents des coffrets de Biennais* (non publié), 1998.

**SAMOYAULT Jean-Pierre et SAMOYAULT-VERLET Colombe,** *Château de Fontainebleau Musée Napoléon Ier*, Paris, 1986.

**SAMOYAULT Jean-Pierre,** "L'orfèvrerie de table de la Couronne sous le Premier Empire", *Versailles et les tables royales en Europe,* musée national des châteaux de Versailles et de Trianon, Paris, 1993 (catalogue d'exposition).

**SAMOYAULT Jean-Pierre,** "Les "assiettes de dessert" du service particulier de l'Empereur en porcelaine de Sèvres", *Revue du Souvenir napoléonien,* n° 369, février 1990.

**SCHNAPPER Antoine,** *Jacques-Louis David, 1748-1825,* musée du Louvre et musée de Versailles, Paris, 1989 (catalogue d'exposition).

**WATELIN Jacques,** *Le peintre J.L. Demarne* (1752-1829), Paris, 1962.

**ZIESENISS Charles-Otto,** "Un tableau de Goubaud au musée de Versailles", *Revue de l'Art,* 1960.

**ZIESENISS Charles-Otto,** "Le Grand Chambellan", *Revue du Souvenir napoléonien,* n°297, janvier 1978.

# Expositions


**1895,** Paris (Galerie des Champs Elysées), *La Révolution et l'Empire.*

**1896,** Vienne (Museum für Kunst und Industrie), *Wiener Congress Austellung.*

**1929,** Paris (Musée des Arts décoratifs), *L'Orfèvrerie civile française de la Révolution à nos jours.*

**1935,** Paris (Musée des Arts décoratifs), *Deux siècles de Gloire militaire.*

**1938,** New-York, *Troisième centenaire de l'orfèvrerie civile française.*

**1951,** Paris (Musée des Arts Décoratifs), *Chefs-d'œuvre des grands ébénistes.*

**1962,** New-York, Chicago, Los Angeles, Toledo, *Treasures of Versailles.*

**1963,** Nantes (Musée Dobrée), *La Duchesse de Berry.*

**1969,** Paris (Grand Palais), *Napoléon.*

**1974,** Paris (Grand Palais), *De David à Delacroix. La peinture française de 1774 à 1830.*

**1974** Paris (Grand Palais), *Le néo-classicisme français, dessins des musées de province.*

**1983,** Paris (Conservatoire national des Arts et Métiers), *L'Institut de France.*

**1991,** Paris (Galeries nationales du Grand Palais), *Un âge d'or des arts décoratifs 1814-1848.*

**1993,** Memphis (Convention Center), *Napoleon.*

**1993,** Tokyo (Musée Fuji), *L'Empreinte et la Gloire de Napoléon.*

**1993,** Paris, (Musée national de la Légion d'honneur), *L'Aiglon.*

**1999,** Versailles (Archives départementales des Yvelines), *Les demoiselles de Saint-Cyr. Maison royale d'éducation 1686-1793.*

**2002,** Paris (Musée de l'Armée), *Les Saint-Cyriens : vocation et destinée.*

**2003,** New Orleans (Museum of Art), *Jefferson's America & Napoleon's France.*

**2003,** Saõ Paulo (MAB FAAP), *Napoleão.*

**2004,** La Roche-sur-Yon (Hôtel du département), *Napoléon et la Vendée.*

**2004,** Boulogne-sur-Mer (Palais impérial), *Les armes d'honneur.*

**2004,** La Baule (Chapelle Sainte-Anne), *Napoléon. Bicentenaire du Sacre, bicentenaire du Code civil.*

# Manufacture de Soieries Prelle

Héritière d'une fabrique déjà réputée en 1752, la plus ancienne des manufactures de soierie d'ameublement lyonnaises, qui tisse depuis sa création les étoffes de soie destinées aux palais et châteaux tels que Versailles ou le Louvre, et qui peut les reproduire à l'identique aujourd'hui, est la seule qui soit restée une entreprise familiale depuis cinq générations. C'est aussi la seule à avoir conservé son atelier d'origine, construit en 1880 sur la célèbre colline de la Croix Rousse à Lyon, fief historique des soyeux lyonnais. Là, les héritiers des "canuts", ouvriers travaillant manuellement sur des métiers à bras, ont pu retisser ces dernières décennies le brocart d'or et d'argent de la chambre de Louis XIV à Versailles (25 années de recherches et de tissage au rythme de trois centimètres par jour !), le velours ciselé polychrome du château d'Amalienborg à Copenhague, somptueux "cadeau diplomatique" offert en 1752 par Louis XV au comte de Moltke, haut dignitaire de la cour de Danemark, ou encore le broché à plumes de paon en relief des rideaux et tentures murales de la chambre de Marie-Antoinette à Versailles.

Ces réalisations exceptionnelles, tout comme celles exécutées pour le cabinet de l'Empereur au Grand Trianon de Versailles ou la salle du Trône de Napoléon III et la chambre des Reines au château de Fontainebleau, n'ont été possibles que grâce aux fabuleuses archives de la Maison Prelle. En 2004, les portières et lambrequins en brocatelle or du Grand Foyer de l'Opéra ont été retissés à l'identique de la commande de 1875, d'après le dessin de Charles Garnier. La restauration en est spectaculaire, comme celle plus récente encore du salon vert de l'Hôtel de Beauharnais - actuelle ambassade d'Allemagne. Là encore, gourgouran vert et bordures de velours ciselé nègre aux motifs lotiformes ont restitué, suivant l'inventaire, l'atmosphère exacte des lieux à l'époque du prince Eugène de Beauharnais.

Outre ces commandes prestigieuses et patrimoniales, décorateurs et particuliers disposent d'une séduisante vitrine de la production de la Manufacture : le showroom de la Place des Victoires, dans un immeuble classé monument historique, offre une formidable variété d'archives et de tissus en collection. Le lieu permet, deux fois par an, d'organiser des expositions temporaires, présentant la création textile à diverses époques : "1900-1950", "D'un empire à l'autre", "Les années 30 de la soie", "Les Turqueries", "La Chinoiserie", "Evocation du Génie de Charles Garnier"...
La Maison Prelle est également très sollicitée pour des partenariats ou mécénats avec les musées ou les grandes demeures privées : la passion de l'impératrice Joséphine pour la botanique a, par exemple, inspiré à la Manufacture une exposition d'étoffes à décor floral au château de la Petite Malmaison. En 2003, pour son 250e anniversaire, le Musée Carnavalet accueillit avec succès une exposition racontant l'histoire de la Manufacture.

Aujourd'hui, la Maison Prelle se réjouit de participer à l'importante exposition organisée par la Fondation Napoléon au Musée Jacquemart-André. De l'époque Empire, la Manufacture recèle quelques trésors - en particulier de superbes bordures. Rien d'étonnant puisque Napoléon, par son action efficace, a redonné vie à la Soierie lyonnaise, après une période de troubles et de misère chez les canuts. Pour Napoléon, la soierie avait valeur de symbole : dans les arts décoratifs, elle devait retrouver la place qu'elle occupait au siècle précédent. Dès son arrivée au pouvoir, de multiples voyages, avec ou sans Joséphine, se concrétisèrent par de somptueuses commandes destinées à l'aménagement des palais. Les grandes commandes de 1811 et de 1813 à la fabrique lyonnaise offriront pendant de nombreuses décennies un choix de damas, brochés, brocarts dans lesquels puiseront tous les pouvoirs.

Dépositaire depuis deux siècles et demi des plus riches traditions et de l'incomparable savoir-faire de la soierie lyonnaise, la Manufacture Prelle connaît aujourd'hui un regain d'activités, exportant partout dans le monde les soieries d'ameublement qui ont fait sa réputation en joignant aux méthodes traditionnelles les techniques informatiques les plus modernes - du métier à bras à l'ordinateur.

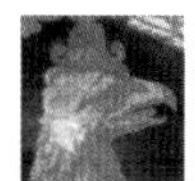

*Brocart à l'aigle impériale*
*Lampas broché fond satin vert, tramé soie et or filé et frisé*
*Tissé entre 1808 et 1812*
*Tenture H. 150 ; L. 62 cm*
*Manufacture Prelle, inv. 32547 LG 125*

*Bordure de satin jonquille broché soie nuée avec colonne de marguerites et couronnes de feuilles de laurier*
*Vers 1810*
*H. 28 ; L. 58 cm*
*Manufacture Prelle, II 33796*

*Bordure en velours ciselé, palmettes sur satin jaune*
*Vers 1810*
*H. 36,5 ; L. 108 cm*
*Manufacture Prelle, n°7440*

# Brocart à l'aigle

Les livres de la Maison précisent : "exécuté sous le Premier Empire pour le Sacre du Roi d'Italie". Ce brocart a donc vraisemblablement été fabriqué par les prédécesseurs de la Manufacture Prelle pour le Palais royal de Milan, capitale du Royaume d'Italie. Napoléon Ier avait été couronné roi d'Italie à Milan en 1805, son vice-roi était le prince Eugène de Beauharnais, qui résida dans la capitale jusqu'en 1814. Le décor de ce lampas, composé de l'aigle aux ailes déployées, dans sa couronne de feuilles de chêne, de la fritillaire ou plante impériale avec des gerbes de blé, atteste, semble-t-il de son origine impériale.

# Les Ateliers de passementerie El Sayed

La technique qui consiste à nouer des fils entre eux n'ayant pratiquement pas changé au cours des millénaires, il n'est donc pas étonnant de trouver dans l'Egypte ancienne des formes de franges très proches de celles que nous voyons aujourd'hui. De là à dire que la famille El Sayed est l'héritière d'un savoir-faire ancestral remontant à l'époque pharaonique la plus reculée, il est un pas que nous ne franchirons pas.
Si les passementeries sont certes fabriquées dans nos ateliers égyptiens, elles le sont dans le respect des traditions françaises laissées en dépôt par quelques ouvriers qui avaient suivi l'expédition d'Egypte en 1798. Napoléon couvait sous Bonaparte et le destin de l'Egypte éternelle croisait celui d'un héros exceptionnel. Dès lors, la famille El Sayed touchée par la beauté et la qualité du travail des passementiers de France, s'organisait en petits ateliers dans le quartier corporatif des métiers du textile. En France, la Révolution avait ordonné la suppression des corporations ; l'Empire marqua le renouveau de la passementerie.
En Egypte, les corporations n'ont jamais été remises en question, elles existent encore aujourd'hui. Ainsi les passementeries El Sayed, au gré des échanges qui ont perduré avec les artisans français, ont connu un essor constant. Les ouvriers des ateliers égyptiens fabriquent à la main des modèles élaborés à Paris.
La qualité des produits, la souplesse des échanges commerciaux, la rapidité d'exécution des commandes font des passementeries El Sayed l'interlocuteur privilégié des plus grands décorateurs européens et américains, des conservateurs du patrimoine et de quelques clients particulièrement exigeants.

L'exposition mise en place par la Fondation Napoléon au Musée Jacquemart-André nous donne l'occasion de témoigner publiquement d'un savoir-faire exceptionnellement conservé qui égale, après plus de deux siècles, celui des maisons les plus renommées.

# Crédits photographiques

**© Fondation Napoléon - Patrice Maurin-Berthier**
Catalogue n° 1, 2, 3, 4, 5, 6, 7, 8, 9, 10, 11, 12, 13, 14, 15, 16, 17, 18, 19, 20, 21, 22, 23, 24, 25, 26, 27, 28, 29, 30 31, 32, 33, 34, 35, 36, 37, 38, 39, 40, 41, 42, 43, 44, 45, 46, 47, 48, 49, 50, 51, 52, 53, 54, 55, 56, 57, 58, 59, 60, 61, 62, 63, 64, 65, 66, 67, 68, 69, 70, 71, 72, 73, 76, 77, 78, 79, 80, 81, 82, 83, 84, 85, 86, 87, 88, 89, 91, 92, 93, 94, 95, 96, 97, 99, 100, 101, 102, 103, 104, 105, 106, 111, 119, 127, 128, 129, 130, 131, 132, 133, 134, 135, 136, 137, 138, 139, 140, 141, 142, 144, 146, 147, 148, 149, 150, 151, 152, 153, 154, 155, 156, 157, 158, 159, 160, 161, 163.

Pages 15, 18, 58, 126, 140, 160.

**© Fondation Napoléon - Jacqueline Guillot**
Catalogue n° 107, 108, 109, 110, 112, 113, 114, 115, 116, 117, 118, 120, 121, 122, 123, 124, 125, 145.

**© Fondation Napoléon - Marie-Pierre Moinet**
Catalogue n° 74, 98. Page 90.

**© RMN - El Meliani**
Catalogue n° 75.

**©RMN - Martin André**
Catalogue n°162.

**© Fondation Dosne-Thiers**
Catalogue n°76, 90.

**©Prelle - Françoise Calmon**
Pages 190.

Achevé d'imprimer en septembre 2004
sur les presses de l'imprimerie Royer
Dépôt légal : octobre 2004
ISBN : 2-84736-080-8